KB096279

낙타의 노래

낙타의 노래

발 행 | 2024년 01월 08일
저 자 | 박종찬
펴낸이 | 한건희
펴낸곳 | 주식회사 부크크
출판사등록 | 2014.07.15.(제2014-16호)
주 소 | 서울특별시 금천구 가산디지털1로 119 SK트윈타워 A동 305호
전 화 | 1670-8316
이메일 | info@bookk.co.kr

ISBN | 979-11-410-6547-8

www.bookk.co.kr
ⓒ 박종찬 2024

낙타의 노래

박종찬 지음

차　례

── 책을 내면서

여기 올려놓은 이야기들은 그 시작이 책을 내려고 글을 썼던 것은 아니었으며, 출세와 성공에 대한 노하우를 알려주는 이야기는 더욱 아니다.
오직, 뜨거운 태양과 모래바람을 견디며 거친 사막을 건넌 어느 늙은 낙타가 허심탄회하게 주절주절 털어놓은 삶의 이야기이다.

오래전 젊은 시절에 모래폭풍으로 눈조차 뜰 수 없던 어느 날, 두바이의 사막에서 낙타를 보았다. 자신보다 큰 짐을 진 채 젖은 눈과 부르터진 발의 낙타는 앞만 보고 묵묵히 걸을 뿐이었다.
나 또한, 마주친 시련과 보잘것없는 작은 성공 따위를 통하여 사막을 건너온 한 마리 낙타처럼 살아왔다. 그 먼 사막을 낙타는 걷고 또 걷지만, 보이는 것은 하늘 그리고 모래뿐이다.

더 높은 곳에 오르는 것만이 목표였던 인생은 처음에는 제법 괜찮아 보였으며 나름대로 많은 것을 이룰 수 있다고 믿으며 살아왔다. 그러나, 하루하루 바쁘게 살았음에도 뒤돌아보면 왜 그렇게 바빴는지 기억조차 나지 않았으며 시간이 갈수록 부족함은 더욱 커져만 갔고 삶은 공허하고 갈증만 더해 갈 뿐이었다. 바로 사막에서 만난 그 낙타처럼 말이다.

사위를 분별할 수 없는 사막을 걷게 되면서 인생은 산을 오르는 것이라기보다는 사막을 건너는 것임을 알게 되었다. 그리고 그 인생이라는 사막을 건너기 위해서는 낙타처럼 먼 곳을 바라보며 천천히 걸어야 함도 늦게 깨달았다. 최대한 힘을 아껴가며 걸어야 끝없는 사막을 건널 수 있다는 걸 알기 때문에 낙타는 달릴 수 있어도 달리지 않는다.

여기에 적은 투박한 글들은, 나름대로 최선을 다하여 살아온 인생이라 변명은 하지만 진정한 인생의 목적과 의미를 제대로 알지 못했던 한 인간의 부끄러운 자기 고백서이다. 그토록 부끄럽고 껄끄러운 고백을 굳이 꺼내는 이유는, 진정한 고백이란 화려하고 거창한 말에 있는 것이 아니라 태양 아래 스스로 상처와 아픔을 드러내는 것이라 믿기 때문이다.

살다 보면 누구라도 사막을 만나게 되며, 나 혼자만

사막에 있는 것이 아니라는 거다.

인생의 어디쯤 건너다가 누구나 오아시스를 만나 쉬어갈 수 있으며, 다시 오아시스를 나와 사막을 걸어야 한다. 이 사막의 끝엔 또 다른 모습의 사막이 펼쳐질 것이기에 사막을 두려워할 필요는 없으며, 매 순간 마주치는 고난과 시련에 좌절할 이유 또한 없다.

흔들리지 않는 사람이 어디 있으랴. 살면서 흔들리지 않기 위해서 우리는 노래하며 춤도 추는 여유로움이 있어야 한다.

어떤 문이 닫힌다는 건 곧 머지않아 새로운 문이 열린다는 의미이며, 그 문을 열고 인생 본연의 아름다움과 경이로움의 길을 향하여 새로운 여행을 시작하는 것 그래서 아직 못다 한 이야기를 채워 넣는 것 그것이 어쩌면 삶이 우리에게 말하려 하는 것일지도 모르겠다.

이야기를 채워 넣고 읽어보니 부끄러움이 앞서지만, 낙타는 낮은 노래를 부르며 사막의 이미 주어진 나머지 그 길을 가고자 한다.

《이 작은 책은 어머니 송 베로니카 보배 님의 영전에 바칩니다》

나의 노래

 예전 어느 TV 프로에선가 '국민 대합창'이라는 프로를 구경한 적이 있었다. 심사에 출연하는 할배와 할매들이 부르는 애창곡을 들으면서 나는 그 어르신들께서 노래를 얼마나 잘 부르는지보다는 그분들의 노래를 부르는 표정과 움직임에 각별하게 주목한 바 있다. 동양학의 하나인 명리학의 역술 중에서 상대의 관상을 보고 운명을 점검하는 사람은, 찾아온 이의 얼굴 모양과 안색 또는 안광 그리고 행동을 주의 깊게 살펴보고 그가 어떤 사람인가를 대강 짐작 해낸다. 그러한 일정 수준의 단계에 오기까지 그들은 숱한 사람들을 만나고 확인하며 자신의 공부를 수련했을 것이다. 구태여 역술을 공부하지 않았다 하여도, 나뿐만 아니라 누구라도 사람을 접하면 의식하지 않아도 상대를 만나면 일단 그가 어떤 사람인가를 살펴보기 마련인 거다.

1945년생으로서 70여 년의 세월을 살아온 그들이 최선을 다하여 부르는 자신의 애창곡에는 그 곡이 뽕짝

이냐 가곡이냐 와는 아무 상관 없이 자신이 살아온 삶의 애환이 분명코 녹아들어 있을 수밖에 없다. 그처럼 자신의 삶이 녹아들어 있는 노래는 잘 부르느냐 와는 무관하게 그들이 부르는 바로 그 노래 한 곡은 그 자신의 이력서이자 본인 자신의 뮤직비디오인 거다. 그렇게 자세히 들여다보면, 노래를 부르는 그들의 삶은 대부분 감추려야 감출 수 없고 숨기려야 숨길 수 없는 거다. 방송에 출연한 출연자들의 노래는 그야말로 감동이었다. 어떤 분의 노래는 듣는 순간 가슴이 뭉클해지기도 한다. 그 이유는, 그 노래 그 곡은 이미 본인의 몸과 마음에 체화(體化)되어 있기 때문이다.

살다 보면, 누구에게나 18번 즉, 애창곡이 있기 마련이다. 내 친구 철수의 애창곡은 '땡벌'이다. '땡벌', 노래가 주는 박진감이 좋다는 거다. 그래. 누가 말리겠니~. 땡벌이면 어떻고 보리밭이면 어떠하며 Proud Mary이면 어떠하리. 살다 보니, 나도 모르게 좋아하는 곳이 한두 곡 정도는 생기게 되고, 일부러 18번을 위하여 그럴듯한 노래를 배우기도 한다. 누가 말리겠나, 본인이 좋으면 그만인 거다. '18번'이 일본말이니까 사용하지 말라지만, '18번'이라는 숫자는 이미 우리의 머릿속에 각인되어있는 거다. 남 말하기 좋아하는 사람들이 이러쿵저러쿵 말이 많으나, 그것 또한 "너나 잘하세요~!"하며 개무시하면 그만이다. 내가 좋아서 부르는 노래이기 때문이며 내가 부르다가 죽을 노래이기 때문이다. 남의 눈치를 볼 일이 아니며, 내가 꼴리는 대로 부르며 살다가 가면 족한 거다.

나는 본래 18번이라는 애창곡이 없었다. 젊은 시절에 여러 곳에서 팝뮤직 DJ를 했으면서도, 그냥 대충 아무 노래이건 자리에 따라 분위기에 따라 적당히 불렀던 거다. 그렇게 세월이 흘러, 직장생활이 길어지고 노래방 기계가 생기다 보니 노래 부를 일이 많아졌다. 살다 보니, 술 마실 일은 왜 그렇게 많았던지 또 술 마실 일이 없으면 술 마실 핑계를 만들어서도 마시던 그 시절에는 술자리가 거듭되다 보면 자의이건 타의이건 노래방을 즐겨 찾게 되었다. 나는 혼자 노래방엘 가도 맥주 두서너 병 정도만 시켜놓으면 옆방 사람들이 다 도망가건 말건 세 시간 정도는 가뿐하게 놀다가 나온다. 혀를 내두르며 가재의 눈으로 나를 바라보던 머리 벗어진 노래방 주인은 나의 방문 횟수가 늘어가자, 자기 손으로 맥주를 내오고 나는 노래방비를 내면서 어깨동무를 하고 같이 노래를 부르는 사이가 되었음은 불문가지이다. 간혹 노래가 잘되는 어떤 날은 옆방에서 여자분들의 합석 제의도 오지만, 꼴에 자존감은 높아 짐짓 젊잖을 떨며 사양을 한다(얼씨구~!).

그렇게 노래를 부르며 도끼의 자루가 썩는 줄 모르고 살다 보니 시간의 흐름과 함께 어느덧 애창곡이 생기게 되었음이다.

부평초처럼 불나비 같은 삶을 허송세월로 눈 깜짝할 사이에 살아오면서, 술과 담배와 노래가 없었다면 나는 벌써 오래전에 자살하였을 것이다. 나는 좋건 나쁘건 어느 자리에 서건 노래를 불러야 한다면, Frank Sinatra의 'My Way'를 부른다. 'My Way'는 이미 오랫동안 불렀던 탓으로 나도 모르게 나의 몸에 체화되어 있다. 또 다른 한 곡은, 배철수의 '빗물'.

나는 지금도, 때때로 마음이 심란하거나 우울할 때이거나 내게 주어진 어떤 프로젝트를 완성하였을 때면 나 홀로 조용히 이 노래를 부른다.

" And did it my way! Yes, it was my way~ ."

낙타의 노래

낙타는 4500 만 년 전 '북아메리카'에서만 존재했다. 아주 오래전 그 당시, '북아메리카'의 대초원은 기름진 초원과 풍성한 먹이사슬로 모든 동식물의 낙원이었다. 그러나, 기름진 초원과 풍부한 먹이도 먹고 먹히는 약육강식의 경쟁에서 밀리면 그대로 죽음일 뿐인 거다. 피비린내 나는 투쟁의 현실에서 살아남은 동물들은 200만 년 전의 빙하기를 맞아 보다 더 살기 좋은 땅을 찾아 대이동을 하였으며, 낙타는 '아프리카' 그것도 웬만한 동물들은 생각하기도 싫은 멀고 먼 사막 언저리에 자리를 잡았다.

수천만 년 그 오랜 세월 동안 살아온 초원을 뒤로 하고 선택한 '아프리카'대륙은 타는듯한 무더위와 강추위가 무한 반복되는 기회의 땅이 아닌 죽음의 땅이며, 이제 더는 잡아먹힐 염려가 없지만 먹을 것도 그 어떤 것도 존재하지 않는 땅 이름하여 사막.
모든 것을 녹일 듯한 땡볕에서 태양으로부터 노출된 자세가 당장은 뜨겁지만, 몸이 그늘을 만들어 시원하다는 어처구니없는 막다른 깨달음.

그런 막다른 처지에도, 낙타는 슬퍼하지 않는다. 낙타는 함부로 울지도 않으며 웃지도 않으며 그냥 뚜벅뚜벅 앞에 주어진 길을 걸을 뿐이다.

눈앞에 오아시스가 나타난다고 할지라도 낙타는 열광하지 않으며, 물이 있으면 마시고 오아시스가 안 보인다고 초조해하지도 않으며 뛰지도 않고 쉬지도 않고 발길이 닿는 대로 주어진 숙명처럼 뚜벅뚜벅 걸어가는 거다.

어처구니없는 그 이름 '사막의 배'라고 지칭하는 낙타는 동물의 뼈이건 씨앗이건 가시덤불이건 신문지/ 마른 나무조차도 닥치는 대로 먹을 수 있도록 변화된 식성과 가시를 뜯어 먹어도 멀쩡한 고무같이 질긴 입과 소화기관을 갖고 있다.

40℃ 정도까지는 땀도 흘리지 않으며 오줌까지도 농축해서 누고 하루 200L의 물을 마실 수 있는 걸어다니는 물탱크 자체이다.

열 손실을 막기 위하여 여분의 지방이라도 생기면 등의 혹에 저장하며 살아낸다. 아무리 갈증이 심할지라도 오아시스가 눈앞에 나타나도 허투루 달리지 않으며 부질없이 헐떡거리지 않는다.

원래부터 달리기 능력이 뛰어남으로 하여 달릴 수도

있으나 낙타는 함부로 달리지 않는다.

그렇다. 낙타는 울지 않아도 그 눈은 항상 젖어있다. 울지 않는다고 하여 슬픔조차도 없는 것은 아니다. 낙타의 눈을 자세히 들여다보면 대단히 아름답다.
아무에게도 말하지 못할 남모를 슬픔이 있어서 낙타의 눈은 더욱 아름답다. 낙타는 '아메리카' 대륙에서 머나먼 사막 그곳에 도달할 때까지, 얼마나 스스로 용기를 북돋우며 얼마나 많은 고통과 아픔을 겪었을까. 또 그 머나먼 길을 뚜벅뚜벅 걸으면서 얼마나 많은 눈물을 흘렸을까.
아름다운 꽃과 달콤한 열매 만발한 곳을 뒤로 하고 머나먼 대륙을 뚜벅뚜벅 건너와 뜨거운 태양과 바람과 추위와 굶주림 속에서, 낙타는 다만 별과 달과 해와 모래만 보고 살아간다.

낙타를 타고 가리라, 저승길은
별과 달과 해와
모래밖에 본 일이 없는 낙타를 타고,
세상사 물으면 짐짓, 아무것도 못 본 체
손 저어 대답하면서,
슬픔도 아픔도 까맣게 잊었다는 듯.
누군가 있어 다시 세상에 나가란다면

낙타가 되어 가겠다 대답하리라.
별과 달과 해와
모래만 보고 살다가,
돌아올 때는 세상에서 가장
어리석은 사람 하나 등에 업고 오겠노라고.
무슨 재미로 세상을 살았는지도 모르는
가장 가없은 사람 하나 골라
길동무 되어서

------ 신경림/ 낙타

낙타는 멈추지 않는다

스펀지에 먹물이 스며들 듯이 어둠이 차분하게 내려 앉으며 간간이 바람 소리와 함께 후드득거리며 내리던 비는 시간이 흐르면서 차차로 거친 바람과 함께 폭우로 내리기를 반복하면서 세차게 창을 두드렸다.
한밤 열두 시를 넘긴 지금 장맛비는, 더러는 속삭이는 비단결 스치는 소리처럼 때로는 유리창을 열고 지난 시절에 당신이 함부로 내던진 거친 추억들과 대화를 나누어야 하는 것이 아니냐며 따지듯이 세차게 내리치고 있다. 그렇게 추궁하는 빗발 속으로 초대하지 않은 지난 시절의 추억들이 저벅거리며 찾아든다.

지난 시절, 중학 2학년의 나이에 아버지의 주검으로 문득 만난 "나는 누구인가?"라는 질문에 대한 답을 머뭇거리며 미처 구하기도 전에 연속적으로 이어진 진학과 학업/ 사회의 진출과 적응/ 해외로 떠도는 자에게 주어진 매력적인 외국 문물/ 문화와 금전이 주는 쾌락 그리고 승진의 성취감, 결혼 등의 세속적 욕망의 가치를 만족시키기 위한 질주 속에서 그러한 일련의 질문들은 까마득히 잊히고 말았다.

욕망의 그 뜨거운 트랙 라인 위에서 멈추지 못하는 폭주 기관차처럼 질주하면서 좌충우돌 살아왔던 거다. 그러나, 나는 항상 하늘 가득 덮인 먹구름 때문으로 늘 외롭고 고독했으며, 사막에서의 신성한 노동은 제대로 보상받지 못했다.

해가 떠오르는 이른 새벽의 새벽 강 그리고 누구랄 수 없는 그리운 그대를 보고 싶은 마음으로 하루하루를 젖은 짚단 태우듯 소모적으로 영위할 따름이었다.

고독할 때마다 문득문득 사막을 떠나 숲으로 들어가서 삶을 반추하고 음미하며 조용히 살았으면 좋겠다는 생각이 들곤 하였다. 그럴 때마다, 나는 '헨리 D. 소로우(Henry David Thoreau)'의 《월든(Walden)》을 떠올렸다.

서른 초반, 서울 강남의 제법 괜찮은 화이트칼라 직장인임에도 스스로는 도시 사회인으로의 염증과 방황으로 절벽 위를 위태위태 걷고 있었을 뿐이었다.

끝없이 펼쳐진 모래 언덕 지루한 사막에서 만난 파랑새와도 같은 '헨리 D. 소로우(Henry David Thoreau)', 비록 그와 같이 작은 통나무집을 손수 짓지도 못할 뿐 아니라 자급자족은 엄두도 낼 수 없을지언정 외딴 숲속에서 조용히 멍을 때리고 책을 읽고 숲길을 걸으며 더러는 글을 쓰며 지나온 삶 동안의 온갖 방황과 좌절/ 내면의 슬픔과 아픔을 들여다보면서 내가 알고 있는 그 모든 것들에 대하여 긍정과 사랑의 마음으로 어리석었던 내 삶을 다시 한번 더 반추하면서 살아가고 싶다는 마음을 영혼의 안식처처럼 간직하고 있었다.

'소로우'의 서툰 학습자로서 사막에서의 고독을 견뎌내면서 나는 또 다른 한 명의 위대한 영혼을 만나게 되었다.《그리스인 조르바》의 작가로서 영혼의 오랜 싸움 끝에 '니코스 카잔차키스(Nikos Kazantzakis)'는 "나는 아무것도 바라지 않는다. 나는 아무것도 두려워하지 않는다. 나는 자유다."라는 단순한 묘비명을 남겼으나 그 세 줄의 묘비명이 남긴 힘은 훌륭하다. 아름다운 문장으로 삶의 통찰을 보여준 '니코스 카잔차키스'로 말미암아 나는 스스로 못난 나의 자유를 반문하곤 한다. '버나드 쇼(George Bernard Shaw)'가 남긴 "우물쭈물하다가 내 이럴 줄 알았지."라는 유머러스하면서 지극히 함축적인 묘비명과는 달리 삶이 안겨 준 욕망과 두려움 그 모든 것들로부터의 자유를 토로한 '니코스 카잔차키스'에게 나의 욕망과 고통이 투영되었던 것인지도 모르겠다.

지칠 줄 모르는 두 영혼 '조르바'와 '카잔차키스'를 오가며 살아 온 내게 〈진정한 자유란 무엇일까〉라는 화두는, 내게 남은 삶의 길에서 발에 차일 새로운 희망과 욕망을 소 닭 보듯이 바라보며 만나게 될 고난 또한 날마다 일상처럼 당연하게 견뎌내는 것이야말로 진정한 자유가 아닐까 하는 생각이다.

긴 트랙라인 위를 멈추지 못한 채 내달리는 쏜살같은 철마와 함께 달렸던 지친 낙타는 그 오랜 질주를 멈추고, 고통과 기쁨 그리고 즐거움과 슬픔으로 점철된 열사의 사막을 건너 언젠가 꿈에서 만났던 안개가 아름답고 신비롭게 피어오르는 그 신선하고 청명한 새벽 강 강가의 그리운 집으로 마침내 돌아가야만 하리라. 그리고, 그리움의 그 날까지 낙타는 멈추지 않는다.

5월에 꾸는 호접몽(胡蝶夢)

나이가 들어 현직을 떠나 생각을 해보니, 우리 시대는 직장에 출근하여 행하는 일이라는 것은 일 자체가 이미 존엄한 신앙의 대상으로 변화하였습니다. 일은 우리에게 일용할 양식을 제공할 뿐만 아니라, 현대인에게 가장 중요한 소속감과 함께 본인의 정체성을 부여합니다.

〈생계〉의 수단으로서 출발한 일에 대한 정의는 〈직업〉으로 시작하여 〈소명〉으로까지의 대변환을 이룸으로써 일의 신앙화는 완성되었다고 생각됩니다. 이 존엄한 변신을 통하여 우리들의 일(Job)은 마침내 현대인의 삶의 의미 그 자체가 되고야 말았습니다.

언제인가부터 우리는 자신이 바라며 이루려 하는 그 어떤 것을 위하여 신에게 간절히 기도하는 신앙인처럼 우리는 삶의 의미를 나의 존재의 완벽함을 일에서 찾게 해달라고 간절히 간구하게 되었습니다.

일이라는 신앙만을 일구월심 좋은 결과 얻어진 돈과 출세로 말미암아 우리는 과연 그 신앙으로부터 구원

받을 수 있을는지요?

일이란, 애초에 여유 있게 쉬려고 즐기려고 했던 것이 아니었나요?

계획보다 돈이 더 부족하고 덜 출세하면 안 될까요?

오래전 사귄 내 친구 중에는 지리산에 사는 사람이 둘 있습니다. 그중 한 친구는 지리산 산촌 농가의 허름한 슬레이트집을 보증금 백만 원 월세 십만 원에 살고 있습니다. 그의 방안에는 가재도구라고 할만한 것들이 거의 없습니다. 가로와 세로 1m 정도의 장롱이 전부이죠.

옷은 불과 서너 벌로 일 년 사철을 보냅니다. 그 외의 재산이라고는 주저앉기 일보 직전의 탱크 굴러가는 소리가 나는 150cc 오토바이와 소리가 나는 것이 신기한 다 부서진 기타 하나가 전부입니다. 그래도 그의 얼굴에는 맑은 미소가 떠나지 않습니다. 나는 그보다 많이 갖고도 늘 상 웃지 못하는 내가 부끄럽습니다.

〈자루엔 쌀 석 되/ 화롯가엔 땔나무 한 단/ 밤비 부슬부슬 내리는 초막에서/ 두 다리 한가로이 뻗고 있네 --- 양관 선사〉.

그리고 나머지 한 명, 지리산 작은 암자에 사는 스님의 방 벽면에 적힌 좌우명입니다. 지극히 소박하고 단순한 표현이지만, 삶이 어떠해야 하는 가를 극명하게 표현해 주고 있는 말입니다.

일 자체를 삶의 목적이 아니라 수단의 자리로 되돌릴 때, 우리는 일에서 재미있고 즐거울 수 있다고 봅니다. 아무도 내일의 일은 알 수 없는 것. 젊음임에도, 돈과 출세를 위하여 그 욕망의 뚜껑이인 일을 내동댕이친 자에게 저는 진심으로 박수를 보냅니다. 그 후회가 저에게 있기 때문입니다. 오늘을 즐기지 못한 채 내일에만 매달려 오늘을 탕진하는 우를 범하지 말아야 합니다. 그날 떨어진 벚꽃도 단풍도 부모님도 나를 기다려 주지 않았습니다.

5월이 되면 부모님에게 효도하고 형제들과 아들과 딸들에게 친밀하고 우애 있으며 자신에게 충일한 인간이 될 수 있는 본래의 소박한 사람으로 돌아갑시다. 시인 〈천상병〉은 〈귀천〉에서 〈아름다운 이 세상 소풍 끝나는 날 아름다웠다고 말하리라〉고 노래하였으며, 〈김만중〉은 그의 환몽 소설 〈구운몽〉으로 부귀영화 또한 일장춘몽이라 적었고 〈장자〉의 〈호접몽(蝴蝶夢)〉 역시 인생은 하룻밤의 꿈 깨고 나면 한낱 꿈에 불과하니 욕심부리지 말고 살라는 뜻이라고 판단됩니다. 오늘, 노을이 아름다운 저녁입니다(05/08/2021).

8월의 크리스마스

 내 그대를 생각함은 항상
그대가 앉아 있는 배경에서
해가 지고 바람이 부는 일처럼 사소한 일일 것이나
언젠가 그대가 한없이 괴로움 속을 헤매일 때에
오랫동안 전해오던 그 사소함으로
그대를 불러보리라

진실로 진실로 내가 그대를 사랑한 까닭은
내 나의 사랑을 한없이 잇닿은
그 기다림으로 바꾸어 버린 데 있었다.
밤이 들면서 골짜기에 눈이 퍼붓기 시작했다
내 사랑도 어디쯤에선 반드시 그칠 것을 믿는다.
다만 그때 내 기다림의 자세를 생각하는 것뿐이다
그동안에 눈이 그치고 꽃이 피어나고
낙엽이 떨어지고 또 눈이 퍼붓고 할 것을 믿는다

----- 즐거운 편지 / 황동규

'한석규'/ '심은하'가 주연한 영화《8월의 크리스마스》는 나에게 첫사랑과도 같은 영화이다. 〈초원사진관〉이라는 작은 사진관을 하는 30대 중반의 '정원'은 자신이 시한부 인생임을 알고 있으나 그의 일상은 담담하고 평온하다.

그런 어느 날, '정원'은 생기발랄한 주차단속원 '다림'을 알게 되고, 시간이 흐르자 미세한 마음의 동요를 느낀다. 그러나, '정원'은 사랑하기에는 자신의 시간이 얼마 남지 않음을 알고 있기에 자신의 마음을 드러내지 못한다.

영화에 등장하는 〈초원사진관〉은, 원래는 차고였던 곳을 헐고 사진관을 지었으며 작업의 용이성을 위해 현실의 공간보다 세트를 더 크게 지었으나 실제 같은 느낌을 주기 위해 최대한 현실감을 살려 만들었다는 후문이다.

촬영 현장에는 마치 연극 무대처럼 마을 사람들이 사진관 앞에 모여 사진관을 구경하였으며, 리얼한 외양 때문에 촬영하는 동안 가끔 진짜 사진관으로 오해한 사람들이 들어와 증명사진을 주문했다고 한다.

영화《8월의 크리스마스》의 원래 제목은 "즐거운 편지"였다. 그런데, 당시 이미 개봉한 영화《편지》가 히트하여 제목을 황급히 바꿔야 했으며 '8월'은 그들이 만나게 되는 시간적 배경을 의미하고 '크리스마스'는 1년 중에 뜻깊은 선물을 받는 날이라는 점에 착안하여 '정원'에게 '다림'과의 만남이 선물을 의미하게 되는 거라는 의미에서 〈8월의 크리스마스〉라고 결정하였다는 것이다.

영화《편지》와 《8월의 크리스마스》는 둘 다 '황동규' 시인의 "즐거운 편지"에서 영감을 얻어 만들어진 영화이다.

《8월의 크리스마스》는 전북 '군산'에서 대부분 촬영되었다. '군산'이라는 곳은 내게는 어머니의 고향이며 젊은 날 한 시절 '군산세관'에서 근무하셨던 아버지의 체취가 묻어있는 곳이다. 젊은 날 옷을 사러 나오신 어머니가 기웃거리셨을 중심가 영동의 옷가게 거리이며 멀리 있는 친구나 선후배에게 또는 먼 친척 어르신에게 편지를 부쳤을 예전 그 자리에 재건축으로 서 있는 우체국.

아직도 일제 시절부터의 고풍 가득 옛 모습을 그대로 간직하고 있는 '군산세관' 본관의 현관 출입문 도어의 손잡이, 그 옛날 지금은 얼굴도 떠오르지 않는 아버지가 날마다 여닫으며 붙잡고 드나드셨을 그 손잡이는 내가 아버지의 손길이 그리울 때이면 문득 찾아가서 내 아버지의 손길을 느끼며 잡아 볼 수도 있는 곳이다.

나는 간혹 마음이 시끄럽고 삶이 무기력할 때이거나 지루하여 견디기 어려울 때마다 문득 차를 달려 '군산'으로 향한다. 비린내 진동하는 비릿한 포구를 둘러보고 일제가 만들어 놓은 '뜬 다리'가 아직도 개펄 위에 우뚝 서 있는 예전 군산항 '뜬 다리' 앞에 서서 얼굴 가득 바닷바람을 맞으면 가슴이 서늘해지며 아련해진다.

겨울이면 '채만식' 선생의 '탁류'를 떠올리도록 커다란 얼음이 둥둥 떠내려오던 금강하구가 생각나기도 하고 밤이면 하구에 떠 있는 배들이 밝히는 등불과 저 멀리 어촌의 불빛을 멍하니 바라다보면 도시에서 얻은 삶의 고단함과 권태와 환멸도 녹아내리는 느낌이 든다.

바닷바람을 쏘이고 나면 서늘해진 가슴을 안고 시내에 들어선다. 시내의 곳곳에서 '한석규'와 '심은하'가 다녔던 거리와 마주친다. 그 좁은 거리에서는 '한석규'가 오토바이를 타고 스쳐 지나가고 '심은하'가 주차단속을 하러 다니는 모습을 보게 된다.

거리는 아직도 60~70년대의 골목과 풍경을 간직하고 있는 '군산'의 예전 거리이며, 각종 영화와 드라마의 촬영 장소로 많이 활용되고 있다. '군산'의 골목 곳곳은 일제 강점기에 지어진 건물도 즐비하다. 유명인사들이 살았던 그리고 스토리가 있는 건물도 많으며 서민들의 삶이 녹아있는 오래된 낡고 익숙한 골목의 풍경은 정겹기까지 하다.

아직 젖도 떨어지지 않은 나를 데리고 고향과 멀리 떨어진 인천에서 젖먹이인 나를 늙은 유모에게 맡기고 삶을 일구어야 했던 어머니를 나는 우여곡절 끝에 훗날 사춘기에 만나게 되었다. 어머니의 고향인 '군산'을 오고 가면서 나는 많은 추억을 만들고 책을 읽었고 사랑을 하며 살아왔다.

그래서 더욱 영화 속에서 정원이 남긴 대사를 나는 뭉클하도록 잊을 수가 없다. "세월은 많은 것을 바꾸어 놓는다. 내 기억 속에 무수한 사진들처럼 사랑도 언젠가는 추억으로 그친다. 하지만 당신만은 추억이 되질 않았습니다. 사랑을 간직한 채 떠날 수 있게 해준 당신에게 고맙단 말을 남깁니다."(07/21/2018).

10월의 어느 멋진 날에

 가을이 되니 농촌에는 거두어들인 고추며 나락/ 깨 등을 말리느라고 울타리 안이 발 디딜 틈도 없이 복잡하다.

생각다 못한 어르신 김 영감님은 울타리 밖의 도로에서 나락을 말리시는데, 마을 입구의 속도제한 표지판을 무시하고 무서운 속도로 질주하는 자동차들 때문에 여간 신경 쓰이는 것이 아니었던 거다.

질주하는 속도에 나락이 날아가는 것은 물론이거니와 논밭에 일하러 오가는 마을 사람들이 위험하기도 하며 당최 그놈의 소음 때문에 기르는 가축들도 제대로 자라지 않는지라 그 고충이 심각하였는데, 며칠을 고민 끝에 영감님은 마을 입구 도로에 눈에 확~ 띌 만큼의 대형 표지판을 설치하였다.

설치 결과, 놀랍게도 효과가 즉시 나타나기 시작하였음은 물론이거니와 아예 차들이 거북이 기어가듯 속도를 낮추어 설설 기어 다녔던 거다.

영감님께서 세운 표지판에는 다음과 같은 문구가 씌어있었다.

"유럽식 나체촌 출입구, 차 안에서도 보일 수 있으니 주행 중 주의 바람!!"

몇 번의 가을비가 내리더니 급격하게 기온이 하강하여 이른 아침 출근길과 밤에는 서늘하여 추운 기분까지 든다.
"매일 너를 보고/ 너의 손을 잡고/ 내 곁에 있는 너를 확인해/ 창밖에 앉은 바람 한 점에도/ 사랑은 가득한 걸/ 널 만난 세상 더는 소원 없어/ 바램은 죄가 될 테니까/ 살아가는 이유/ 꿈을 꾸는 이유/ 모두가 너라는 걸/ 네가 있는 세상/ 살아가는 동안/ 더 좋은 것은 없을 거야/ 10월의 어느 멋진 날에…"

유명한 이 곡은 콧수염이 멋진 가수 김동규의 〈10월의 어느 멋진 날에〉라는 곡인데, 그 원곡은 노르웨이의 뉴에이지 그룹인 'Secret Daraden'의 〈Serenade to Spring〉이라는 바이올린 연주곡이며 서울예대 문예창작과를 나와 드라마 '종합병원'의 주제곡 〈혼자만의 사랑〉을 작사한 한경혜 작가의 작품이다.

가사 자체가 달달하고 아름다워 10월에 결혼하는 커플들의 축가로 곧잘 쓰이는 이 음악이 계절을 초월하여 많은 사랑을 받는 이유는 연주곡이 노래 곡으로 편곡되면서 그 선율도 아름답지만, 잘 다듬어진 가사 때문이라고 생각된다.

"널 만난 세상 더는 소원 없어. 바램은 죄가 될테니까."하는 더 이상의 바람이 죄가 되는 겸손한 사랑.

그토록 아름답고 영원한 사랑을 꿈꾸는 모든 이들에게 사랑의 간절함과 겸손한 마음이 감동으로 전달되는 가사와 멜로디가 가슴을 촉촉하게 적신다.

노래인지 중얼거림인지 문법도 박자도 맞지 않는 속된 단어로 나열된 저급한 노래가 대세처럼 한류라는 엉뚱한 명칭으로 유행하는 요즈음, 드높은 가을 하늘 같이 청명한 사랑의 노래 〈10월의 어느 멋진 날에〉는 나날이 신산스러워지는 시대와 스산해져만 가는 계절인 가을을 사랑으로 포근하게 감싸주는 가슴 따뜻한 곡이다. (10/05/2017).

I Love Coffee

 영국의 '윈스턴 처칠' 경이 정계를 은퇴하고 어느 파티에 참석하게 되었다.

'처칠'의 젊은 시절 유머 감각을 기억하는 한 부인이 야릇한 질문을 했다. "어머 총리님. 남대문이 열렸어요." 그러자, 파티에 참석한 여러 시선이 일제히 '처칠'에게로 향했으나 '처칠'은 웃으며 대답했다. "걱정하지 마세요, 부인. 이미 '죽은 새'는 새장 문이 열렸다고 해서 밖으로 나올 수는 없으니까요." 역시, '처칠'이다.

영국 의회 사상 첫 여성 의원이 된 '에스터' 부인은 '처칠'과는 매우 적대적인 관계였다. 그녀는 "내가 만약 당신의 아내라면 망설임 없이 당신의 커피에 독을 타겠어요."라며 독설을 토하자, '처칠'은 태연히 대답했다. "내가 만약 당신의 남편이라면 주저하지 않고 그 커피를 마시겠소."

나는 커피를 좋아한다. '비틀즈'와 '마크 노플러'/ '르네 플레밍'과 '안드레아 보첼리'를 좋아하고 '정태춘'과 '엠씨 더 맥스'/ '사라사테'외 '라흐마니노프'를 좋아하며 내 방에서 나는 책 냄새/ 책장의 나무 냄새 그리고 책상 위에 커다랗게 걸린 '고흐'의 복제화 〈'아이리스'가 있는 '아를르'의 풍경〉/ 베란다 창밖으로 보이는 숲과 어울린 소도시의 풍경/ '은파 호수' 위에 내걸린 달빛 이 모든 것들을 감상하며 즐기는 향기로운 커피를 나는 사랑한다.

커피의 그 속성은 여자와 흡사한 면이 많다. 우선, 그 본능적인 유혹이 대단하다.

"키스보다 황홀하며 악마처럼 검고 지옥처럼 뜨거우며 사랑만큼 달콤하다."고 프랑스의 '탈레랑'이 이미 간파했지 아니한가. 어쩌면, 여자보다 더 유혹적인지도 모르겠다.

"귀를 위한 시"라며 스웨덴 '한림원'이 칭송하는 '밥 딜런'이 부른 노래 중 〈one more cup of coffee〉는 짚시 소녀가 먼 길을 떠나는 남자에게 커피 한 잔을 권하는 슬픈 사랑의 노래. '밥 딜런'의 노래에서 뜨거운 아메리카노 한잔이 떠 오른다.

'밥 딜런'의 대표곡인 〈Blowin in the wind〉보다 커피를 마시며 듣기에 더 어울리는 노래라면 〈knockin on heavens door〉라고 말하지 않을 수 없다. 노래를 OST로 사용한 영화 〈노킹 온 헤븐스 도어 (Knocking on Heaven's Door)〉는, 독일의 범죄 코미디 영화이며

암 진단을 받은 주인공들이 불확실한 미래에도 불구하고 최후의 소원 성취를 위한 모험을 통하여 인생의 가치와 그 소중한 의미를 깨닫는데 그 마지막 시퀀스에선 바닷가의 백사장에서 죽어가는 그들 앞에 펼쳐진 바닷가의 파도 소리와 함께 들려오는 OST 음악 소리에 가슴이 먹먹해진다. OST와 함께 Ending Credit이 올라가지만 먹먹한 가슴을 안고 의자에서 일어서 나가기는 어렵다.

지난 4월에 뇌경색으로 병원에 입원하였으나, 다행히 경과가 좋아 원래의 생활로 돌아와 별다른 이상 없이 생활하고 있다.

그 충격으로 지난 시절의 생활을 돌아보게 되었다. 식사 때가 되면 특별히 음식 가리지 않고 소탈하게 먹었으며(그게 자랑도 아니다) 술도 분위기가 주어지는 대로 거리낌 없이 마셨던 거다.

비가 오시는 날이면, '어니언스'와 '세시봉'의 노래를 따라 부르며 삼겹살에 소주 몇 잔이 얼마나 즐거운가. 오래 정든 친구들과 어울려 노래방에서 함께 노래 부르며 마시는 시원한 맥주잔은 청춘으로 리턴하는 기분이다.

비가 부슬부슬 오시는 날이면 '해물파전'도 좋고 얼큰한 '김치 칼국수'는 얼마나 그럴듯하냐 이 말이다. 게

다가, 커피가 분위기 만점이며 매력적이라는 것은 시간과 장소 불문이다.

닥터가 눈에 힘을 주며 하는 말이, 내가 맛있어하는 것/ 좋아하는 음식은 모두 금물이란다. 그 모든 것은 앞으로는 먹지 말고 살아야 한다는 거다.
산다는 게 참 어구망창하다. 먹으면 안 좋다고 하니까 더 생각난다. 이렇게 계속 살아내야 한다면 죽느니만 못한 것 아닌가 하는 생각도 든다. 참 재미없는 시간만 오지게 남았다 하는 생각이 든다.
그나마 젊어서 맘껏 먹고 마시고 즐겼으니 다행이다 싶다. 큰일 날 뻔했다. 꽁생원으로 얌전하게 살았으면 얼마나 후회막급일까 하는 생각도 든다.

'스타벅스'가 우리나라에 처음 진입한 1999년 이후, 내가 가장 오래 함께 한 커피는 '스타벅스' 커피이다.
오늘 아침, 어제 '스타벅스' 매장에서 독하게 맘먹고 사 온 원두(오래 굶었더니, 포장만 봐도 맛이 보일 지경이다)를 깨끗하게 청소하여 정리해 둔 '커피머신'에 커피 기름을 묻히기 싫다는 이유로 '참깨 가는 기계'에 넣고 갈았다. 어쭈~ 제법 곱게 갈린다.
싱크대 상단 구석에 처박힌 '드리퍼' 종지를 찾아내고 멸치 젓국물을 곱게 내릴 때 사용하던 필터 종이를 끼우고 뜨거운 물을 부어주었다.

예상대로 아름다운 와인 칼라가 크리스탈 큰 컵에 방울방울 채워진다. 얼음 몇 조각을 크리스탈 컵에 떨구어주자, 거의 6개월 만에 그리웠던 그 듣기 좋은 경쾌한 소리가 울린다.

컵을 들고 쇼파에 편안히 앉아 창밖의 아침 풍경을 내다보며 한 모금 마셔보았다. 때마침, 라디오에서 들려오는 FM 클래식이 듣기에 유난히 아름다웠으며 그 순간 삶이 이 정도는 되어야 하지 않겠느냐는 생각으로 기분이 아주~ 오랜만에 유쾌해진다.

'앤서니 훅스'는 말했다. "커피는 당신의 내면에 흐르는 강이다." 그래, 커피는 나의 내면을 경쾌하게 함양시키며 에너지를 공급해 주는 매력적이고 신비로운 마녀의 강 그 자체이다!! (07/30/2023).

가을 편지

깊은 밤 검은 바다에서/ 은빛 화살 쏘던 지난날
더운 피 열정 하나/ 아직도 잊히지 않는 그대
은파(銀波)에 출렁이던/ 그 달빛 사라졌어도
못내 지워지지 않는 그대
어이타 아니 오시나/ 낙엽마저 지는데

사랑한 것은 그리움/ 가슴 저리는 외로움
불꽃으로 타올랐던/ 우리의 기쁜 열창
사랑은 환지통의 슬픔/ 우리 행복한 노래
그대 지워지지 않는 추억
어이타 아니 오시나/ 낙엽마저 지는데 (10/26/2022).

가을의 풍경

두어 번의 태풍이 지나가더니 문득 가을이 왔습니다. 모질던 무더위와 바람도 언제였던가 싶습니다. 인생이란 것이 언제나 그렇습니다. 지나고 나면 이렇듯 별것이 아닌 것을…

물질에 대한 욕망/ 출세 그리고 삶의 전부일 것만 같았던 사랑 또한 세월의 바람결에 허무할 만큼 가벼이 스러지고 마는 것입니다.

따뜻한 커피 한 잔이 있는 한가로운 오전 나절, FM에서는 '쇼팽'의 '피아노 연습곡 3번'이 조용히 흐르고 생각 없는 멍한 얼굴로 먼 풍경을 바라봅니다.

더는 아무 생각이 없습니다. 그저 지금 눈앞에 다만 풍경이 있을 뿐이며, 귀로는 편안한 소리만이 들려오고 있을 따름입니다. 지금 저에게 어떤 희망과 욕망과 꿈이 더 필요할까요. 지금 나는 평화롭고 자유롭습니다. 그것뿐입니다.

이 가을에는 '대부' 시리즈이거나 '8월의 크리스마스''박하사탕'을 다시 한번 보고 싶습니다. 젊은 날 욕망에 휩싸여 도시를 배회하던 지난날 우리들의 풍경을 곱씹어 보고픈 생각에서 일지도 모르겠습니다.

이미 지나버린 그 풍경 속에서 이름조차 잊은 오래전 그녀를 만날 수도 있겠으며, 성당 계단에서 기타를 치며 함께 노래를 부르던 친구를 만나도 좋겠습니다.

사랑한 것은 잠시였으며 잊는 건 한참이었던 만나지 못하고 서로 헤어진 꽃무릇 같았던 눈물 아롱아롱한 우리 젊은 날의 가을이여.

해당화 되어
바람결에 흩날리던 때 있었네.
구름처럼 스쳐 지나간 그대
내 그리움에 눈길조차 없었더이다.

다시 한 생애 말 달려 선운사 구경한 날
꽃 피면 잎이 지고
잎 지면 꽃이 피듯
꽃과 잎 또 만나지 못했네.

그리고 거듭 다시 만난 삶에서
일 년 뒤 스페인에서 돌아오니
그대 텅 빈 방엔 눈물만 남고
깊은 밤 함박눈만 펑펑 내렸습니다.

            ----- 꽃무릇 사랑(09/26/2022)

간이역에서 사세(辭歲)하다

 창밖으로 마른 잎들이 매달린 나뭇가지 사이에 걸린 달이 창백하게 떨고 있다. 그 달빛과 나뭇가지 사이의 어둠 속으로 새 한 마리가 높은 소리로 울면서 멀리 날아갔다.

이름 모를 새의 긴 울음소리 끝에서 파도 소리에 잠을 이루지 못했던 바닷가의 민박집이 문득 생각났다. 그리고 비 온 뒤 산하에 걸려있던 안개가 흐르고 달빛 속으로 기러기가 날아가고 청명한 새벽 숲속에서 맡았던 그 향기로운 솔 내음 눈감으면 떠오르는 갈대밭의 눈부신 흐느낌과 금강하구둑에 까맣게 내려앉으며 명멸하며 번득이던 수많은 비늘의 새 떼 그리고 새 떼들.

어쩌면 잊고 살아온 것인지도 모르겠다. 아니, 바쁘다는 핑계로 그다지 중요하지 않은 것들은 돌아볼 시간과 필요의 낭비가 싫어 애써 잊으려고 살아온 것인지도 모를 일이다. 그러나, 어느 날 문득 찾아온 사라져 간 것들에 대한 막연한 그리움과 아쉬움 그 속에 깃든 작지만 소중한 추억조차 사라져 버린 것을 깨닫고 멍한 시선으로 후회하지 않았는지 다시 한 해를 떠나보내는 시간이 되니 잠시 생각에 빠져들게 된다.

"막차는 좀처럼 오지 않았다. 출입문 위쪽에 붙은 낡은 벽시계가 여덟 시 십오 분을 가리키고 있다." 이 글은 곽재구의 시 <사평역에서>에서 영감을 받은 '임철우'의 <사평역>이라는 그 짧은 소설의 시작 부분이다.

기차라는 삶의 시간이 나그네에게 주는 미덕이라면 오직 기다림이라고 할 것이다. 그러나, 젊은 날 언젠가 잠시 머물렀던 간이역에서 기차는 그다지 오래 기다리지 않아도 왔었다.

내내 움직일 것 같지 않았던 고즈넉한 풍경 속으로 거창하게 불끈 쿵쾅거리며 헤치고 달려 들어온 기차는 씩씩거리며 담박질을 멈추었지만 내리는 사람도 타는 사람도 별반 짜드락 없는 거다.

괜시리 멋쩍은 기차는 잠시 멈칫 주춤거리더니 이내 개의치 않겠다는 듯이 겨울 들판의 풍광 속으로 휭하니 아스라이 멀어져 갔다. 그리고 얼마 후, 소설 속의 이야기처럼 창밖으로는 제법 주먹 크기의 송이 눈이 내리고 있었다.

그렇다. 막차라도 좋겠다. 젊은 날 그날처럼 그 주먹 눈 속으로 기차를 타고 과감하게 떠날 그 날을 기약하면서 다시 한 해를 힘차게 출발하자.

막차는 좀처럼 오지 않았다
대합실 밖에는 밤새 송이 눈이 쌓이고
흰 보라 수수꽃 눈 시린 유리창마다
톱밥 난로가 지펴지고 있었다

그믐처럼 몇은 졸고
몇은 감기에 쿨럭이고
그리웠던 순간들을 생각하며 나는
한 줌의 톱밥을 불빛 속에 던져 주었다

내면 깊숙이 할 말들은 가득해도
청색의 손바닥을 불빛 속에 적셔두고
모두들 아무 말도 하지 않았다

산다는 것이 때론 술에 취한 듯
한 두릅의 굴비 한 광주리의 사과를
만지작거리며 귀향하는 기분으로
침묵해야 한다는 것을
모두들 알고 있었다

오래 앓은 기침 소리와
쓴 약 같은 입술 담배 연기 속에서
싸륵싸륵 눈꽃은 쌓이고
그래 지금은 모두들
눈꽃의 화음에 귀를 적신다

자정 넘으면
낯설음도 뼈아픔도 다 설원인데
단풍잎 같은 몇 잎의 차창을 달고
밤 열차는 또 어디로 흘러가는지
그리웠던 순간을 호명하며 나는
한 줌의 눈물을 불빛 속에 던져주었다

----- 곽재구/ 사평역에서

*** 오는 해에는 작은 행복조차도 미루고 사는 어리석음을 반복하지 않을 수 있는 깨달음이 있는 한 해가 되기를 간절히 기원하면서, 하늘 아래 모든 영혼이 평온할 수 있기를 기원합니다.
Prospero Ano y Felicidad~!!!(12/29/2016)

간장게장의 연가(戀歌)

나는 간장게장을 무쟈게 좋아한다. 오래전부터 속살이 꽉 찬 꽃게를 가장 맛있게 먹는 방법은 누가 뭐래도 역시 간장게장. 꽃게 특유의 감칠맛은 살리되, 짜지 않게 담그는 것이 최고의 포인트이다.

기록을 더듬어 보면, 조선 시대의 기록에 있으니 최소한 조선 시대부터는 먹기 시작했다고 봐도 무방하리라 생각한다. 이전에도 먹었는지는 기록이 없어 확인할 수 없으므로 미루어 짐작하건대 최소한 1600년대 이전임을 알 수 있다.

날 게와 생감은 상극이라 동시에 먹지 않는다는 것인데, 조선의 영조가 형인 경종에게 게장과 생감을 올렸다가 평생 '경종 시해'의 논란에 시달렸다는 역사는 유명한 이야기이다.

간장게장은 바닷게나 민물 게를 이용해서 담는데, 바닷게는 보통 서해에서 잡은 꽃게를 많이 쓴다. 물론, 섬사람들이나 해안가 지방에서는 껍질이 단단하고 크기가 작은 돌게도 쓴다.

간장게장을 좋아하는 나는 돌게도 없어서 못 먹는다. 꽃게는 살이 통통하게 오르는 5월과 10월에 잡은 것이 가장 맛있으며, 5월에는 암꽃게가 10월에는 숫 게가 더 맛이 좋다. 암꽃게는 살이 부드럽고 비린내가 심하지 않으며 알이 차 있어 게장을 담기에 좋다. 특히 게딱지 안의 주황색 '장'이 가장 맛이 있는데, 그 '장'이 가득 찬 게딱지 안에 더운밥을 넣고 비벼 먹는 것이야말로 진미라 아니할 수 없을 것이다.

세금을 안 내는 일명 체납하는 고수의 수법은 대체 무엇일까. 복잡하지 않단다. 그것은 바로 간장게장과 복어란다. 무신 귀신 씨 나락 까먹는 소리냐고?
놀랍게도 똑똑한 사람들은 "게 눈 감추듯 빼돌리고, 복어처럼 완전 배 째라!!"로 버틴다는 거다. 일각에서는 세금을 아래와 같이 정의한다. "세금이란, 학창 시절 공부 안 한 놈들이 국가로부터 받는 징벌이다." 다시 말해서, 공부 잘하고 좋은 대학 나온 소위 잘나신 분 개새들은 '탈세' '변칙 증여' '해외 도피' '분식 회계' 따위로 세금을 안 낸다는 거다.
공부 못하고 덜 떨어진 못난 나 같은 떨거지들만 꼼짝없이 세금을 내며 사는 거다.
대통령 출마했던 '허경영'이가 언젠가 이런 말을 했다. "세수가 부족해서 국가가 어렵고 국민이 힘든 게 아닙

니다. 국가에 도둑놈들이 너무 많은 겁니다." 쓰바, 욕
나온다.

꽃게가 간장 속에
반쯤 몸을 담그고 엎드려 있다
등판에는 간장이 울컥울컥 쏟아질 때
꽃게는 뱃속의 알을 껴안으려고
꿈틀거리다가 더 낮게
더 바닥쪽으로 웅크렸으리라
버둥거렸으리라 버둥거리다가
어찌할 수 없어서
살 속으로 스며드는 것을
한때의 어스름을
꽃게는 천천히 받아들였으리라
껍질이 먹먹해지기 전에
가만히 알들에게 말했으리라
저녁이야 불 끄고 잘 시간이야

----- 안도현/ 스며드는 것

불 끄고 잘 시간이라고 나지막하게 다독이는 어미의
말에 가슴이 저며온다. 크게 사랑하고 가엾게 여긴다
는 자비(慈悲)의 뒤 글자는, 슬픔 비(悲)이다. 진정으로

함께 아파할 수 있는 마음이 사랑의 핵심이라는 것을 '자비'라는 단어가 말없이 알려준다.

'통혁당 사건'으로 오랜 수감생활을 하였으며 '감옥으로부터의 사색'이라는 책을 낸 근래에 작고하신 '신영복' 교수는 이 시를 읽고 더는 간장게장을 먹을 수 없게 되었다는 말을 강의 중에 실토하셨다.
평생을 살아왔던 그 바닷물보다도 짜고 어둠보다도 시커먼 간장이 울컥울컥 쏟아지는 순간에 제 몸의 새끼가 다칠까 꿈틀거리며 버둥거리는 그 어미 꽃게의 마음은, 생명의 절규와 같은 본능이다.

우리가 죽어가는 순간이 될 때 이르러서야, 저 힘없고 낮은 목소리 속에 숨은 어미 꽃게의 뜨거운 사랑을 들을 수 있을 거다. 어둠을 두려워하는 새끼들을 다독이며, 자신의 최후를 두려워하면서도 자장가를 애잔하게 자장자장 부르는 어머니가 거기에 있다.
이 더러운 뒷 골목 같은 삭막한 현실을 살고는 있지만, 때로는 기도하는 마음으로 이런 통증도 느낄 수 있어야 하지 않겠나. 우리는 사람이니까 말이다.

유소년기의 나는 서울에서 살았던 지라, 비린 것을 먹지 못했습니다. 하지만, 외갓집인 전북의 군산엘 다니면서 외할머니가 만들어주신 여러 가지 바다의 먹거리들에 대하여 깊은 맛을 알게 되었던 거죠.

홍어가 그렇고 박대가 그렇고 각종 젓갈이 그렇고 간장게장이 그렇습니다.

회는 성장하여 업무 출장과 세미나/ 연수/ 여행 등으로 일본을 자주 다니고 몇 달씩 생활하면서 그 진 맛을 알게 되었습니다.

저에게는, 이 반찬 저 반찬으로 끼니를 줄곧 이어가다가도 호강에 지친 되바라진 못된 입맛을 달래는 방법으로는 간장게장 이상의 것이 없다는 생각됩니다.

간장게장의 그 진 맛을 익힌 저의 입맛은 돌아가신 외할머니께서 삶에 지치고 화학조미료에 질식할 것만 같은 신산한 현실을 살아가는 저에게 유산처럼 입력시켜 주신 선물이라는 생각입니다.

그래서, "저녁이야. 불 끄고 잘 시간이야."를 말하는 어미 게의 떨리는 속삭임은, 마치 죽을 수도 지금의 이 현실을 떠나지도 못하고 살아내야만 하는 오늘의 저에게 들려주시는 외할머니의 다정하고 따스한 토닥임과도 같습니다(10/23/2016).

객동(客冬)을 보내며

　내린 눈이 녹아 비나 물이 된다는 우수(雨水)를 지나고도 호된 추위를 보이던 날씨는 사흘이 멀다고 비를 뿌리더니 한낮에는 두꺼운 옷을 입고 걷기가 부담스러울 만큼 요 며칠간은 문득 정말 봄이 찾아온 느낌입니다.

우리말로 '지난겨울'을 한자로는 '객동(客冬)'이라 합니다. '객(客)'이라는 단어에는 '손님' 그리고 '과거'라는 의미가 있습니다.

젊어서는 서늘한 바람을 맞으며 휑하니 빈 들판을 홀로 유유히 걷는 것을 즐기기에 겨울을 가장 좋아하였으나, 언젠가부터 나이가 들면서 봄이 그렇게 신비롭고 아름다울 수가 없습니다.

단발머리 소녀가
웃으며 건네준 한 장의 꽃 봉투 새봄의 봉투를 열면
그 애의 눈빛처럼
가슴으로 쏟아져 오는 소망의 씨앗들
가을에 만날한 송이 꽃과의 약속을 위해

따뜻한 두 손으로 흙을 만지는 3월
나는 누군가를 흔드는
새벽 바람이고 싶다 시들지 않는 언어를
그의 가슴에 꽂는
연두색 바람이고 싶다

----- 3월에 / 이해인

'구구소한도(九九消寒圖)'라는 그림이 있습니다. 오래
전 옛 선비들은 이 그림을 그리면서 엄동설한의 긴
겨울과 추위를 견뎌냈다는 겁니다.
동짓날이 되면, 창호지에 가득 하얀 매화꽃 81송이
(9X9)를 그림 그려 벽이나 창문에 붙여놓고 하루에
한 송이씩 날마다 빨갛게 색칠을 해나갔다는 것입니
다. 그리하여 마침내, 동짓날로부터 81일이 되어 매화
꽃 그림이 모두 붉게 색칠하여진 날에는 남으로 난
창문을 활짝 열면 진짜 매화가 뜰 앞에서 꽃을 피우
고 있었으니 그것이야말로 풍류라 아니할 수 없었을
것입니다.

말라비틀어진 나무의 등걸에서 피어났을지라도 고결한
정신의 맑은 기품을 연상케 하는 고매화는 안빈낙도
(安貧樂道)를 상징하는 청렴의 꽃이라 해도 무리가 없

지 않겠지요.

탐매여행(探梅旅行), 2월 말부터 시작하여 4월의 중순까지 고목의 등걸에 보석처럼 매달린 매화를 쫓아 봄나들이를 떠나는 흥분은 참으로 경쾌합니다.

그 여러 그루 중의 으뜸인 '고불매'는 전남 장성의 고찰 '백양사'에 있습니다. 분홍빛을 발산하는 홍매화이며 350년 수령의 천연기념물로써 그 향기는 가히 천국의 향취라고 불리어도 손색이 없습니다. 경내의 한편에 자리하고 있지만, 백양사 앞 쌍계루의 호수까지 그 향기가 후각을 마비시킬 지경입니다.

또 하나의 으뜸으로는, 구례 '화엄사' 각황전의 오른편에 키가 큰 '흑매' 한 그루가 있습니다. 섬진강 물길따라 거슬러 온 봄바람이 노고단 자락으로 오르다가 숨 한번 고르고 나서 오래된 옛 나무의 등걸에 고운 손길로 어루만져 피워내는 꽃으로 이끼 낀 등걸이 부끄러움으로 말하지 못하고 붉다 못해 검붉은 꽃 홍매로 피워 낸 그 붉은 색이 너무 진하여 흑매가 된 꽃으로 직접 보지 않고는 그 아름다움을 무엇이라 표현하리까.

숙종 때 〈계파선사(桂波仙師)〉가 심었다는 300년이 훨씬 넘은 나무이지만 나무도 꽃도 아름다움 그 자체입니다.

서울 '창덕궁'의 '만첩 홍매'는 창덕궁 안 내의원 '자시문' 앞에 있는 것으로, 나이는 400년 정도이며 선조 때 명나라에서 받은 것으로 분홍색의 겹꽃이며 그 꽃잎이 크고 대단히 화려하며 참으로 아름다운 명품입니다.

한반도의 고매화 중 Best Of Best를 꼽으라면 서슴치 않고 위와 같이 향(香)으로는 '고불매/' 색(色)으로는 각황전의 '흑매/' 그 태(態)로써는 '만첩 홍매'를 단연 꽃 중의 꽃으로 꼽을 수 있겠습니다. 하지만, 역시 안빈낙도(安貧樂道)와 청정심(淸淨心)의 맑고 고고한 향과 색 그리고 태를 종합적으로 본다면 역시 백양사의 '고불매'가 고매화 중의 고매화/ 매화 중의 매화라 아니할 수 없겠습니다.

이 비가 그치면 다시 봄이 옵니다. 아침에는 푸른 실(靑絲) 같던 검은 머리카락이 저녁에는 흰 눈처럼 백발이 되고 마는 사람의 삶이란 이렇게 허무하도록 지나가 버리고 맙니다.

지나온 삶에서 '봄'이라는 이름으로 간직된 그대의 책 속 추억에는 어떤 그림들이 정렬되어 있는지요. 색이 고운 날실과 씨실로 직조된 아름답고 따사로운 봄날로 충만하옵기를 진실로 바랍니다.

고래를 위한 꿈

 오후 5시. TV로 유튜브에서 지나간 우리 시대의 전설 그룹사운드 'Eagles'의 녹화 공연을 보면서 커피 한 잔을 마시는 한가로운 시간입니다. 밖은 지난 세기 천 년 동안 우리를 괴롭힌 잘난 이웃 중국 덕분(?)으로 미세먼지가 자욱하여 마치 안개가 낀 것만 같은 착각 때문에 더욱 젖어 드는 추억 돋는 시간입니다. 그 안개 속으로 'take it to the limit'/ 'lyin' eyes'가 흐릅니다. 그 시절의 그 날들처럼 말입니다.

이렇게 편안한 마음으로 추억을 음미하는 이 순간만은, 늙어간다는 것이 나쁜 것만은 아니라는 단순한 생각도 듭니다. 돌아보면, 70년대의 그 시절들은 비가 오고 안개로 뿌연 하늘로 춥고 신산했던 날이 더 많았던 기억으로 남아있으며 삶도 이정표를 잃고 무기력했습니다. 잠 못 이루는 깊은 밤이면 이종환의 '별이 빛나는 밤에'를 이불속에서 들었으며, 방송 속의 그 음악들 때문에 더욱 잠 못 이루는 밤들이 허다했습니다. 문학과 하드 락 그리고 술만이 삶을 지탱하게 해 준

엄혹한 고통의 날들이었을 뿐입니다.

그 시절, 많은 소년은 마음속에 간직하고 있었습니다. 하얀 교복 상의의 긴 머리 소녀를…
그녀를 생각하며 까맣게 지새웠던 그 밤들도 그리고 그 하얀 밤 내내 써 내렸던 편지들도. 그 시절의 늦은 밤, 헤어지기 아쉬워 그녀 집 앞 골목에서 키스를 나누었던 그 소녀는 지금 어디에서 어떻게 늙어가고 있을지요.
세월이 50여 년이 지난 지금 아직도 남아있는 그 골목길을 다시 지나갈 때면 그 소녀의 얼굴이 떠오릅니다. 소녀의 마음을 받아주지 못한 미안함도 함께 말입니다. 그렇지만, 아름다웠던 소녀의 따뜻한 사랑은 세월이 지났어도 잊히지 않습니다.

고래를 위한 꿈이 있었지만, 포경선은 정녕코 출항할 것 같지도 않은 그런 암울한 날들의 지루한 연속이었습니다.
그 시절 우리들의 고래는, 킬리만자로처럼 웅장한 덩치가 아니었으며 만년설처럼 하얀 향유고래도 아니고 거창한 신화 속에서 현실로 호출해낸 소박한 '위시리스트'였을 따름입니다.
우리는 신의 불꽃을 훔쳐 인간에게 전해준 까닭으로

신이 내린 형벌로 독수리에게 심장을 쪼아 먹힌 프로메테우스와 같은 스스로 무리한 욕망의 집착 때문에 고통에 시달리는 것을 경멸합니다.

명산동 어느 주점에선가
양푼으로 마시던 막걸리.
그 양푼에 담긴 건
눈물과 피.
그때 우리가 마신 막걸리
오늘 바라보니 상처에 뿌린 소금.

초저녁, '만향'에서 커피 한 잔만으로 시간을 죽이며 'Elton John' 'Led Zeppelin' 그리고 'King Crimson' 'CCR' 등을 듣고 있다가 마침내 타는 목마름 갈증으로 의자를 박차고 뛰쳐나온 거리는 우리들의 목을 당장이라도 졸라맬 것 같은 밤이 되어있었으며, 우리는 누구랄 것도 없이 약속이라도 한 듯 막걸리 선술집으로 들어섰고 잔을 들면 그 잘난 유신과 까닭 모를 아픔/ 고통에 대하여 욕설을 퍼부어댔습니다.
우리가 술에 취하면 목 터지게 외쳤던 그 모든 함성은 지금 어디쯤 가고 있을까요. 작금 우리가 즐기고 있는 이 시답잖은 알량한 자유민주주의와 물질적 여유가 바로 그 응답인가요. 왜 우리는 이렇게 나이 들어있음에도 아직 이토록 타는 갈증에 허덕이고 있는 것일까요. 우리들의 노력이 열정이 부족한 것일는지 아니라면 우리의 욕망이 지나친 것인가요.

잠시 눈을 감으면
찬란했던 순간은 사라지고
모든 꿈도 눈앞에서
바람 속 티끌처럼 흩어지네.

푸른 바다로 출항했던 포경선
고래를 만나지 못한 채 늙어갔으며
누구도 그 모습 보고 싶지 않지만
침몰만이 기다린다네.

청춘에 빚진 황금 탑도 바람결에 삭아지고
고래의 꿈조차 영원할 수 없으리.
집착 버리고 다시 떠나자
모든 것은 저 바람 속 먼지일 뿐(06/16/2022).

국수의 추억

 겨울이 끝나가는 무렵, 어중간한 기온으로 인하여 입맛이 사라진 이즈음 외할머니께서 만들어주시던 따끈한 칼국수가 생각난다. 밀가루에 날콩가루를 대충 섞어 반죽하여 홍두깨로 민 다음 착착 접어 가늘게 쫑쫑쫑 썰고 멸칫국물에 듬성듬성 썬 감자를 넣고 한번 끓인 후 송송 썬 애호박을 우르르 넣어 한소끔 끓이면 구수한 손칼국수가 만들어진다. 여기에 삭힌 매운 고추를 썰어 넣은 양념간장을 듬뿍 얹어 뜨끈하게 먹고 뒤로 물러나 앉으면 천하의 진수성찬도 부럽지 않았던 거다.

나는 국수를 좋아한다. 건강진단의 결과로 매년 의사선생이 밀가루 음식과 술은 피하라고 눈에 힘을 줘가며 강권하지만, 술과 국수를 뺀다면 나의 인생은 얼마나 무료하겠나. 술로 만취한 새벽녘 잠에서 깨어 밤에만 문을 여는 단골 포장마차를 찾아가 멸치를 우려낸 구수하고 따끈한 국물과 국수에 적당히 익은 열무김치를 척척 걸치고 한 그릇 비워낸다면 속도 편하면서 그 새벽도 그토록 아름답게 보일 지경이다. 더러는 내 친김에 양재동 꽃시장엘 달려가 좋아하는 장미 한 다발을 옆자리에 싣고 음악을 들으며 새벽의 고속도로를 달려오는 즐거움은 그 자체만으로도 이미 삶은 아름답다.

'해기사(海技士) 국가고시'에 응시하려고 경부선 야간 열차를 타고 오르내리던 학창 시절, 대전역에서 잠시 정차하던 짧은 시간 기차 바로 옆 노상의 사각형 간이매점에 붙어 서서 쏟아지는 잠 그 엉겹결에 후루룩거리며 들이마시듯 몰아넣던 따끈한 우동 국수 더러는 기차가 출발해도 국수 그릇을 놓지 않은 채 두 젓가락 더 들여 마시며 뛰어 기차에 오르던 밤 기차의 우동 국수 그 맛은 제대로 꿀맛이었다. 그러나, 그 우동 국수의 꿀맛도 서울과 부산을 주파하는 '그레이하운드'라는 개가 크게 그려진 대형 고속버스가 생기면서 대전역 '대전발 0시 50분' 열차의 낭만과 우동 국수의 추억은 사라지고 말았던 거다

고등학교 2학년 겨울방학, 엎드려 공부만 하기에는 뜨겁게 끓어 터질 듯한 가슴을 주체하지 못한 친구 3명이 어울려 밤 기차를 차표도 없이 몰래 타고(이 바닥의 전문용어로는 '때뽀차') '무전여행'이랍시고 싸돌아

다니던 무렵에 주린 배를 참다못해 길가 '포장마차'에서 손바닥만 할 뿐 아니라 그나마 양을 줄이기 위하여 찌그러트린 것만 같은 양은 냄비에 담아주던 우동국수 두 그릇을 셋이서 '게 눈 감추듯' 후루룩 나눠먹으며 그 부족함이 못내 아쉬워 가장 쩝쩝거리던 그 친구는 지금 의사 선생님이 되었다. 급 그 친구가 보고 싶다.

나에게 국수의 오랜 추억은 명동성당 아래 골목의 '명동칼국수'이다. 뜨겁지만 쫄깃하면서 그 집만의 매운 김치 맛이 국수와 아주 잘 어울린다. 지금은 일본인과 중국인 손님이 많지만, 고등학생 시절부터 내가 수십 년을 드나들었으니 내 나름 단골집이라 하겠다. 그 집에서 함께 국수를 먹었던 여러 친구가 떠오른다. 젊은 시절, 명동에는 내가 좋아하는 국수와 더불어 술과 음악으로 즐겁게 지냈으니 명동의 추억은 내 인생 젊음의 추억이다.

국수는 예로부터 장수를 기원하거나 새로운 출발을 알리는 잔칫상에 빠질 수 없는 행복한 음식이며 고달팠던 그 시절에는 간단하고 빠르게 먹을 수 있는 우리들의 서민 음식이다.
돌아보면, 문화와 사회를 이루는 힘이야말로 국수처럼

가늘고 끈질긴 사소한 것들로부터의 출발일지도 모르겠다. 인간의 정신과 그 영혼은 수많은 세월이 흐르면서 대를 이어 그 DNA에 유전해 내려간다.

예년보다는 덜 추워도 아직 꽃샘추위를 앞둔 대문 앞에는, 이미 봄이 망설이며 조바심을 내고 있다. 서정(抒情)으로 가득한 이 늦은 겨울에, 무정한 세월에 몸을 맡기는 저 바람처럼 눈 내린 산야의 들길을 따라 표표히 걸으며 문득 어디론가 멀리 떠나고 싶다. 그 떠나온 길목 어느 해 저무는 길가 마을의 국숫집에서 국수 삶는 구수한 냄새를 따라 한 움큼 주린 배를 채운다면 고단한 나그네는 행복한 미소를 떠올리며 따뜻한 잠자리를 찾아들 것이다.

사는 일은
밥처럼 물리지 않는 것이라지만
때로는 허름한 식당에서
어머니 같은 여자가 끓여주는
국수가 먹고 싶다.

삶의 모서리에 마음을 다치고
길거리에 나서면
고향 장거리로

소 팔고 돌아오듯
뒷모습이 허전한 사람들과
국수가 먹고 싶다.

세상은 큰 잔칫집 같아도
어느 곳에선가
늘 울고 싶은 사람들이 있어
마을의 문들은 닫히고
어둠이 허기 같은 저녁
눈물 자국 때문에
속이 훤히 들여다보이는 사람들과
따뜻한 국수가 먹고 싶다.

----- 이상국/ 국수가 먹고 싶다.

꿈

이광수의 소설 '꿈'의 토대를 이루었을 것으로 짐작되는 역사서 '삼국유사' 권 3의 '조신조(調信條)'에는 아래와 같은 설화가 있다.

《옛날 신라가 서울이었을 때 세규사 장원이 명주군 내리면에 있었는데 본사(本寺)에서 승려 '조신(調信)'을 보내어 장원의 관리를 맡게 했다. '조신'이 장원에 와서 태수 '김흔'공의 딸을 좋아하여 깊이 미혹(迷惑)되었다. 그는 여러 번 낙산사 관음보살 앞에 나아가 그녀와 인연을 맺게 하여 줄 것을 남몰래 빌었다. 그러나, 안타깝게도 몇 년 후 그녀는 다른 남자와 혼인을 하게 되었다.

승려 '조신'은 불당에 나가 관음보살이 자기의 소원을 들어주지 않는다고 원망하며 날이 저물도록 구슬피 울다 지쳐서 쓰러졌던 모양인데, 꿈속에 태수의 딸이 기쁜 얼굴로 문으로 들어와 활짝 웃으면서 말하기를, "저도 일찍 스님을 잠깐 뵙고 미음속으로 사랑하며 잠시도 잊지 못했습니다. 그러나 부모의 명령에 못 이겨 억지로 다른 사람에게 시집을 갔습니다. 지금 동혈지우(同穴之友)가 되고자 하여 왔습니다."하고 말하였다. '조신'은 매우 기뻐하며 그녀와 함께 고향으로 돌아갔다. '조신'은 그녀와 40여 년간 살면서 자녀 다섯을 두었다.

집은 단 네 벽뿐이며, 조식(粗食)도 제대로 할 수 없었다. 결국, 식구들을 데리고 사방으로 떠돌아다니며 걸식으로 지냈다. 이같이 10년 동안 초야를 두루 헤매니 갈갈이 찢어진 옷은 몸뚱이도 가리지 못했다. 부부는 굶주려 병들었으며 10살 난 계집아이가 밥을 얻으러 다니다가 마을 개에게 물려 아프다고 소리 지르며 앞에 와서 눕자 부모도 목이 메어 눈물을 흘렸다.
마침내, 부인이 눈물을 닦으며 말했다. "내가 처음 당신을 만났을 적에는 얼굴도 아름답고 나이도 젊었으며 입은 옷도 깨끗하였습니다. 한 가지 맛있는 음식도 그대와 나누어 먹었고 옷 한 가지도 그대와 나누어 입어 집을 나온 지 50년 동안 정은 깊어졌고, 사랑도 굳게 얽혔으니 참으로 두터운 인연이라 하겠습니다. 여러 마리의 새가 함께 굶어 죽는 것보다는 차라리 짝 잃은 새가 거울을 향하여 짝을 부르는 것만은 못할 것입니다. 추우면 버리고 더우면 따르는 것은 인정에 차마 할 수 없는 일이지만 행하고 그치는 것도 사람 마음대로 할 수 없는 일이고 헤어지고 만나는 것도 운수가 따르는 것입니다. 청컨대, 부디 헤어집시다."

'조신'이 이 말을 듣고 크게 슬퍼하며 각자 아이 둘씩 나누어 서로 작별하여 길을 떠나려 하다가 꿈을 깼다. 타다 남은 등불은 깜박거리며 날이 밝으려고 하였다. 아침이 되니 수염과 머리털은 모두 하얗게 변했고 망연히 세상일에 뜻이 없어졌다. 이미 괴롭게 살아가는 것도 싫어지고 마치 한평생 고생을 다 겪고 난 것과 같아 재물을 탐하는 마음도 얼음 녹듯 깨끗이 없어졌다. 이에 관음보살의 상을 대하기가 부끄러워지고 잘못을 뉘우치는 마음을 이기지 못하였다.
서울로 돌아가서 장원을 맡은 책임을 그만두고 사재(私財)를 기울여 '정토사(淨土寺)'를 세워 부지런히 착한 일을 하였다. 그 후에 '조신'의 죽음에 대하여는 알 수가 없다.》

1990년에 '배창호' 감독은 '이광'수의 단편소설 '꿈'을 아름답게 영화화했다. 국민배우 '안성기'와 '황신혜'가 주연을 이룬 영화 '꿈'에서 '조신'역으로는 '안성기'가

'황신혜'는 태수의 딸인 '달례'역으로 열연했는데, 그녀가 출연한 영화 중에서 단연코 가장 아름다웠던 것으로 기억한다.

또 다른 꿈 이야기도 있다. 꿈속에 꿈이 있으며 그 꿈속에서 또 다른 꿈을 꾸고 꿈은 세포분열을 하듯이 단계별로 연속적으로 진화를 한다.
관객은 'Christopher J. Nolan' 감독의 〈Inception〉 군단과 함께 꿈속으로 빨려 들어간다.
꿈이 진화를 하는 'Nolan' 감독의 상상력에 심취하며 영화의 장면이 꿈인지 생시인지 헷갈리면서 주인공 '코브'와 함께 무중력의 상태가 된 듯한 느낌으로 빠져드는 거다.
영화의 Ending을 단 한 마디로 규정짓는 것은 무의미하다. 이 영화는 많은 열린 결말(結末)을 우리에게 보여주고 있으며, 영화 자체가 'Nolan' 감독이 우리에게 던지는 'Inception'이다.
영화 전체의 거대한 꿈은 Ending Scrol이 끝나는 순간, Kick의 전주로서 'Edith Piaf'의 노래가 끝남과 동시에 깨어나게 되는 것이다. 우리는 'Nolan' 감독의 거대한 꿈에 빠져 'Inception'을 당하고, 마지막 순간 Kick으로 깨어나 꿈인지 생시인지 혼돈(混沌)한 채 쭈뼛거리며 영화관 밖으로 내몰린 거다.

가만히 살펴보면, 우리의 일상(日常)이라는 것은 그저 단순한 평면(平面)에 불과하다. 평면일 수밖에 없기에 더욱 단순(單純)해 보인다. 그러나 보다 세밀(細密)하게 들여다보면, 수많은 Scratch와 크고 작은 홈들이 무수히 파여 있다. 다만, 그 파인 홈들이 워낙 미세하여 쉽사리 보이지 않을 따름이다.

게다가 우리의 일상은 수없이 반복/ 순환한다. 그제가 어제 같고, 어제가 오늘 같이 흘러간다.

우리는 그 일상 속으로 날마다 반복적(反復的)으로 부나비처럼 뛰어든다. 그 실존적 투기(投企) 속에서 우리는 뻔히 알면서도 또 꿈을 꾼다.

꿈이 그리고 현실(現實)이 아무리 허무하다고 할지언정, 현대 문명의 퇴폐를 비창한 필치로 고발하여 '절망의 심미가(審美家)'라고 일컬어지는 '에밀 시오랑(Emil M. Cioran)'이 말한바 "모든 것은 흘러 지나가나니 이 순간을 즐기자."를 믿고 따르기 그 또한 머뭇거려진다. 우물에 대롱대롱 매달린 도망자의 입으로 떨어지는 꿀물에 심취할 수밖에 없듯이 어처구니없게도 삶은 순간(瞬間)의 향유(享有)로 이루어진다. 그 즐김을 위하여 헬스클럽에서 헐떡거리며 달리고 휴일에는 산 정상을 향하여 숨을 헉헉거리며 오르고 내린다.

누가 시킨 것도 아니다. 멍~ 하고 있자니 왠지 불안하고, 명상(冥想)이랍시고 다리를 꼬고 앉으면 온갖 잡생각이 몰려온다. 무엇이 꿈이고 무엇이 삶인가.

"버스가 지리산 휴게소에서 10분간 쉴 때,
흘러간 뽕짝 들으며 가판대 도색잡지나 뒤적이다가,
자판기 커피 뽑아 한 모금 마시는데 버스가 떠나고 있었다.
종이컵 커피가 출렁거려 불에 데인 듯 뜨거워도,
한사코 버스를 세워야겠다는 생각밖에 없었다.
가쁜 숨을 몰아쉬며 자리에 앉으니,
회청색 여름 양복은 온통 커피 얼룩,
화끈거리는 손등 손바닥으로 쓸며,
바닥에 남은 커피 입 안에 털어 넣었다.
그렇게 소중했던가,
그냥 두고 올 생각 왜 못했던가.
꿈 깨기 전에는 꿈이 삶이고,
삶 깨기 전에는 삶은 꿈이다."

----- 이성복 / 그렇게 소중했던가

나는 자유다

《페스트》와《이방인》의 저자 '알베르 까뮈'가 "카잔차키스야말로 나보다 백번은 더 노벨상을 받았어야만 한다."라고 토로한 그 '니코스 카잔차키스'가 묘비명으로 이야기한 '나는 아무것도 바라지 않는다(Den elpizo tipota). 나는 아무것도 두려워하지 않는다(Den forumai tipota). 나는 자유다(Eimai eleftheros).'라는 말처럼 어떤 것으로부터도 구속받지 않는 자유인으로 살아가고 싶습니다. 단지, 남아있는 삶 동안이라도 말입니다.

청춘의 시절, 학업을 끝내고 바다와 숱한 나라를 돌아다니면서 배운 것과는 너무도 세상이 다르다는 것을 알았습니다.
바다를 떠나 육상에 살면서도 깃발 잡고 앞장서서 내달려도 진실 또한 호도되는 숱한 풍경들을 겪으며 나이 들고 보니 차차로 세상과 삶에 대한 기대를 내려놓게 되었습니다.
직장인 시절, 옳고 그름을 따지고 기업과 조직의 미래

를 위하여 치열하게 논쟁했지만 나이 들어보니 투쟁에서 이긴다는 것도 결국 별것 아닌 것을 너무 몰두하며 살았다는 자각이 들었습니다.

홍익대학교에서 근무하던 시절, 남보다 평안하고 안일한 일상으로 나이 들어가는 것에 마음이 불편하다는 생각이 들어 조기 출근하여 아침마다 교내 야구장을 외곽으로 10바퀴씩 달리기를 결심하였습니다.
첫날은 두 바퀴를 돌았는데, 그야말로 죽는 줄 알았습니다. 그러나, 작심하고 달리기 시작하자 3일 차에 10바퀴를 돌았으며 10여 일을 반복하자 이어폰으로 하드락과 매혹적인 팝뮤직을 듣는 그 새벽은 즐거움이 폭발하였던 거죠.

주말을 제외한 5일간 출근하여 이른 아침 야구장에서 10바퀴를 돌고 샤워를 마친 후에 교내식당에서 식사를 마치고 커피를 내려 마시며 일과를 경쾌하게 열어가게 되었습니다. 그러나, 그런 운동에도 불구하고 3개월 후에 대장암 4기 수술로 죽다 살아나는 경험을 하게 됩니다.

은퇴 이후, 이제 비로소 인생에서 가장 느긋하게 진정 평범한 필부로 살아가는 나는 진실로 이토록 귀한 시간이 돈과 일로 인하여 절대 휘둘리고 싶지는 않습니다. 따라다닌다고 해서 손에 쥐어지지 않던 물질과 권력 그것들이 진정으로 나의 것이었다면, 벌써 내 손아귀에 쥐어졌을 것을 말입니다.

내 것이 아닌 그 열망들은 이제 모두 내려놓습니다. 멍하니 넋을 놓고 앉아 시간 가는 줄 모르고 숲이나 호수를 바라보는 멍청한 시간이 내게는 대단히 소중하며, 종일토록 숲과 바다를 바라보며 묵묵히 걷는 시간도 행복하다는 생각이 들며 전망 좋은 장소에서 커피 한 잔을 앞에 놓고도 내일의 업무이거나 조직의 미래 따위를 구상할 필요조차도 없는 나만을 위한 진실한 자유 그 평화가 얼마나 소중한 것인가를 절감하며 직장인으로 은퇴 이후 1년 8개월을 보냈습니다.

사람들은 흔히 은퇴 이후의 제2의 인생은 누구에게나 열려 있다며 은퇴 후 인생을 더 주도적으로 설계할 필요가 있고 신명 나는 기쁨을 맛보며 할 수 있는 뭔가를 찾아가야 한다며 어서 새로운 제2의 인생을 추구하라며 채찍질을 합니다.
은퇴자 모두가 신명 나도록 미친 듯이 설치며 좋아 죽겠다고 해외로 여행으로 골프장으로 풀빌라로 시니어학습원으로 바삐 돌아칠 필요는 없다는 것이 저의 생각입니다.

뛰고 싶은 자는 뛰고 걷고 싶은 자는 걸어도 되는 것이며 서 있고 싶은 자는 서 있어도 되는 것이라고 본다는 거죠.
민들레 에게는 민들레의 고운 삶이 있고 해바라기 에게는 해바라기의 유쾌한 삶이 존재하고 들국화 에게는 들국화의 아름다운 삶이 존재하는 것입니다. 모두가 해바라기가 되어야 하거나 누구나 민들레가 되어야 하는 것은 아니죠.

흔히 주변에서 진실은 오직 하나뿐이라고 말하지만, 그 진실조차도 영원할 수 없는 것이라는 거죠.
《그리스인 조르바》에는 멋진 구절이 있습니다. "위대한 예언자이거나 시인들은 모든 것을 처음인 듯 보고 느낀다. 매일 아침 자신들 앞에 새로운 세상이 시작되는 것을 본다. 새로운 세상이 보이지 않으면 스스로 새로운 세상을 창조한다."
지식인이거나 종교인이거나 정치인들 언필칭 성공한 사람들이 주장하는 이야기에 현혹될 필요는 없습니다. 그들이 창조했노라고 주장하는 이야기는 참고로써 충분한 정도이며, 자신의 목소리에 귀를 기울여야 하며 자신만의 나만의 본인의 노래를 만들어 부르기에 집중하면 되는 것입니다.

"배를 타고 가던 한 힌두교도가 큰 폭포 쪽으로 그 배를 밀어내는 물살을 거스르기 위해 오랜 시간 싸웠다. 그 위대한 투사는 모든 노력이 소용없다는 것을 깨닫자, 노를 걸쳐 놓고 노래를 부르기 시작했다. 아! 내 인생이 이 노래처럼 되게 하자. '나는 아무것도 바라지 않는다. 나는 아무것도 두려워하지 않는다. 나는 자유다!'" '보헤미아'에서 프랑스어로 썼다는 '카잔차키스'의 소설 《토다 라바》에 나오는 문장입니다.

'카잔차키스'는 힌두교의 우화를 인용했으며, 우화의 정신은 당연히 경전인 '베다'와 '우파니샤드'의 가르침으로부터 왔을 것이며 힌두교가 인도의 토착 종교이므로 '싯달타' 왕자도 부처가 되기 전에 이미 익히 들었으리라고 생각됩니다.

'운명'이라 불리는 요술은 드물게 우리에게 선택의 기회를 줍니다. 학창 시절 우리는 '쌈치기' '짤짤이'를 할 적에 잡은 손의 주먹에 너무 힘을 주면 대개는 들킵니다. 꼭 먹어야겠다는 마음을 비우고 힘들이지 말고 가볍게 잡아야 이길 확률이 높다는 것이 친구들의 친절한(?) 설명입니다. 마찬가지로, 사격술을 배웠던 교련 시간에 교관으로부터 "어깨에서 힘을 빼라." 하는 말을 귀 따갑게 들었습니다. '장타'가 아니라, '오비'를 내지 않기 위해서 말입니다.

'톨스토이'가 한 말은 의미심장합니다. "과거는 이미 지나갔으며 미래는 아직 오지 않았으니 존재하는 것은 오직 현재뿐이다." 그렇죠. 어제 사놓지 못한 땅과 아파트/ 어제 잘 못 찍은 주식/ 어제 잘 못 선택한 직장 따위는 다시 생각하지 맙시다. 내일 일어날 일도 미리 염려하지 맙시다. 어제 사놓지 못하여 안타까운 아파트보다는, 오늘 낮에 먹을 짜장면이 더 중요합니다. 나에게 중요한 것은 바로 오늘일 뿐입니다. 또한, 물질적으로 조금은 부족한 삶을 살더라도 이미 지나갔기에 후회해도 부질없는 욕망은 내팽개치고 스스로 내면의 평화를 조용히 추구하는 조금은 멍청한 삶을 사는 것도 좋겠다는 판단입니다.

목검으로는 아무리 화려한 치장을 하여도 진검을 이겨낼 수 없으며 가오리는 몇 년을 항아리에 넣어둬도 홍어 맛을 낼 수는 없으니, 내가 하고 싶은 일로 즐겁게 삶을 보내고 있지 않다면 삶은 말짱 허무맹랑한 일장춘몽일 따름입니다. 그리하여, 나는 오늘도 '은파 호수'로 트래킹을 나갑니다.
나는 해탈도 바라지 않는 방랑자, 나는 자유다.

낙타의 울음에서 들은 파도 소리

 형과의 마찰로 인한 불편한 생활에서 벗어나 요양병원에서 생활하는 어머니의 나머지 삶은 그리 썩 행복해 보이지는 않았다. 다만, 형과 함께 살면서 부대낀 살림살이의 끊임없는 노동과 구박에서 벗어났다는 작은 해방감을 느끼는 듯 보였다.

기껏해야 한 달에 한 번 정도 작은아들과 만나는 짧은 외출이면 어머니는 여타 노인네들보다 맵시 있는 옷차림으로 발걸음이 가벼우셨다.

어머니는 나이에 비하여 식성도 좋으셨으며 안색도 밝고 맑으며 건강하셨다. 남쪽 지방에 사시는 어머니와 작은 아들이자 막내와의 만남은 그렇게 한 달 무렵에 한 번씩 이어져갔다.

어머니가 갑자기 다치셔서 성모병원으로 입원시켰다는 수녀님의 연락을 받고 급하게 내려가 만난 어머니는 "바쁜데 뭐 하러 내려왔느냐."면서 나를 타박하셨지만, 내심으로는 좋아하시는 것이 느껴졌다.

건강하시던 어머니가 병원에 입원하신 까닭은 심야에 화장실을 가던 길에 침상에서 낙상하여 엉덩이 부분의 뼈를 다치신 것 같다는 것이었다.

의사는 상세한 검토 결과를 '고관절'의 골절상이라고 말해 주었다. 어머니는 연세가 많으셔서 완치는 어려우며 본래의 병보다 합병증이 더 우려스럽다며 의사는 비관적인 견해를 말했다.

서울과 전주를 오가는 병문안은 피곤한 업무를 마친 주말 아침 일찍 차를 끌고 한 달에 단 한 번을 오가는 것일 뿐인데도 불구하고 안 하던 짓을 하는 결과인지 시간과 비용도 만만치 않게 느껴졌다. 게다가, 어머니와 사이가 좋지 않아 혼자는 병문안을 가지 않는 형을 설득하여 함께 가는 일도 스트레스였다.

평생을 불효자로 살던 나이 육십이 넘은 자가 어느 날부터 갑작스레 효도 비슷한 흉내를 내려 하니 그것도 쉬운 일이 아니었다. 더러는 기차를 타고 왕복도 해 봤지만, 그 또한 피곤한 일이긴 마찬가지이다.

평생을 함께 부대끼며 살아보지 못한 자식이라서 효심이 없는 것일 따름일 거다.

어머니의 병환은 눈에 띄게 날로 악화하였다. 뵐 적마다 부쩍 나날이 수척해지셨으며 간호사와 병실 담당 요양사의 전언에 의하면 어머니는 집에 가시겠다면서 신발을 찾으셔서 신발을 감추어두고 있다고 하였으며, 치매의 조짐도 있다는 걱정끼 없는 말을 지나치듯 말하여 놀라게 하였다.

서울의 집으로 돌아와 생활할 때는 어머니를 잊고 지내지만, 늙고 병든 어머니를 타관 객지의 낯선 침대에 홀로 두고 왔다는 생각이 문득 떠오를 때는 가슴이 미어지는 듯한 고통이 따랐다.

어머니를 뵙고 온 시간부터 월요일 출근길까지 그 슬픔은 지속되었으나, 인간이 망각의 동물이라더니 화요일부터는 까맣게 잊고 생활을 즐기는 것이었다.

다시 찾아간 어느 토요일, 어머니의 두 팔이 침상 양쪽 난간에 묶여있는 것을 보고 무척 놀랐다. 병실 간호사를 찾아 다그치듯이 따졌으나, 어머니를 보호하기 위하여 어쩔 수 없다는 설명을 듣고 억장이 무너지는 느낌이었다.

시도 때도 없이 심야에도 택시를 타고 집에 가겠다고 나설 뿐만 아니라 상처 부위를 피가 나도록 긁고 수액의 주사기 바늘을 뽑는 통에 어쩔 수 없는 조치라는 것이었다. 음식을 드시는 것 그리고 배설도 요양사가 직접 수발할 수밖에 없다는 설명이었다.

의사와의 면담을 통하여 어머니의 상태가 대단히 절망적임을 알게 되었다.

어머니는, 꽃보다 아름다운 17살의 나이와 남다른 미모에 매료된 나이 많은 사내의 물질적 사회적 꼬드김과 유혹에 넘어간 늙고 무식하며 무척 건장하여 항상 무서웠던 아비의 강요로 결혼을 하여 몇 년을 살지도 못하고 자식과 함께 버려졌다.

우여곡절 마음고생 몸 고생으로 평생을 부평초처럼 떠돌며 살다가 작은아들의 인연으로 성당을 다녀 그나마 신앙을 갖고 말년을 보내면서 오랫동안 봉사활동을 취미로 삼아 노년의 삶으로 알고 지냈지만, 나이가 들어 스스로 몸을 거두는 것조차 힘겨워지자 개뿔 들어봐야 슬픔만 가득한 추억만을 이야기하며 살다가 허무하게도 갑작스레 주검의 그림자를 맞이하게 되었던 거다.

어머니는, 본인의 자식이 젊은 날 쏘아 올린 화살을 찾는답시고 나이 들어 까지 허둥지둥 헤매면서 삶을 헛되이 소비하는 동안에도 묵묵히 기다리시느라 호강한 번 못하고 사시다가 늙어 병든 어머니의 병세는 이제 더는 눈으로 볼 수 없는 상황에 이르렀다.

작은아들이 담당 의사에게 부탁하여 어머니께서 천주님의 곁으로 조용히 가실 수 있도록 협조하여 달라고 눈물로 하소연하였으며, 인근 성당의 신부님에게도 간곡한 부탁을 드려 종부성사를 받은 어머니는 작은아들이 마지막으로 뵙고 온 며칠 후 마침내 노을 속 무지개를 타고 건너가셨다.

어머니가 떠나신 며칠 후 처음으로 꿈속에 나타나신 날, 어머니는 보랏빛으로 은은한 광채의 벨벳으로 지으신 처음 보는 한복을 고급스럽게 차려입으시고 나타나 "성당에 헌금을 내려고 하니 돈을 좀 다오." 하며 아이가 재롱부리듯이 웃으시면서 말씀하셨다. 어머니와 작은아들은 모처럼 함께 활짝 웃다가 저는 스스로 웃음소리에 놀라 잠에서 깨었던 거다.

어머니는, 자신이 오랫동안 가방에 넣어 성당엘 다니고 흐릿한 눈으로 읽으며 보았던 낡은 성경책 한 권과 성경의 구절구절을 필경한 노트 한 권과 소박한 묵주 그리고 금반지 하나를 유품으로 남겼으나 어머니의 관속에 작은아들이 하늘나라에서 쓰시라며 어머니의 그 묵주를 넣어드렸으며 남기신 금반지는 어머니 천국 가시는 노잣돈으로 쓰시라며 관속에 넣어드렸다.

얼마나 남아있을지 모를 어머니의 낡은 통장은 쳐다보기도 끔찍스러워 내용을 보지도 않고 형에게 아무런 말도 없이 무심하게 건네주고 말았다.

어머니는 본인의 평소 성품대로 그렇게 깔끔하게 조용히 하늘나라로 돌아가셨던 거다.

어머니를, 그렇게 보낸 나는 두어 달 동안 심한 우울증을 앓았으며, 본인만의 그 죄책감으로 오래 힘들었다.

꿈을 꾸면, 사막의 어딘가를 끝도 없이 터벅거리고 혼자 걸으면서 샘물을 만나지 못하여 갈증으로 허덕거리는 날들이 연속되었으며 문득문득 낙타를 만나는 날도 있었는데 자주 만나는 그 낙타는 때때로 절규하듯이 하늘로 머리를 치켜들고 큰 울음소리를 냈다.

수억 년을 견뎌왔을 이 사막과 오랜 시간을 사막에서 이어져 왔을 낙타의 생명 그 낙타의 울음소리에서는 희한하게도 파도 소리가 들려왔다.

'기적의 오아시스'라는 '명사산 월아천'은 사막을 아무리 헤매어도 도달할 수 없었으며, 꿈속에서도 낙타가 왜 만나기만 하면 소리 높여 우는지도 궁금하였으나 그 울음소리 속에 들리는 파도 소리는 참으로 의문이었다.

건성으로 천주교를 신앙 삼고 있는 작은아들은, 고통받는 자들의 신음에도 침묵으로 일관하는 신의 목소리가 들리지 않는 무참한 현실에 절망하여 성경에 공감하지 않을 뿐 아니라 신을 무시하고 외면하였다.

'수목장'으로 모신 어머니에게 참배하고 돌아오던 어느 날, 고속도로의 휴게소에 들러 화장실을 갔다가 차로 돌아오는 길에 동물원에서 운반 중인 듯 본인의 차 옆에 세워둔 대형 트럭에서 낙타를 보았다. 아니, 작은아들이 낙타를 본 것이 아니라 낙타가 작은아들을 쳐다보고 있었기에 그가 낙타를 바라보게 된 것이 맞는 것 같다.

그가 낙타와 서로 눈이 마주치자, 낙타는 갑자기 길게 큰 소리를 내며 울부짖었다. 그 울음소리에 고속도로 휴게소의 사람들은 놀란 얼굴로 낙타를 쳐다보았다. 그 순간, 낙타의 그 큰 울부짖음 속에서 나는 분명한 외침을 들었던 거다. "엘로이, 엘로이, 레마 사박타니?" 라고 말이다. 어둠이 내리려는 휴게소 주차장은, 일순 짧은 정적에 휩싸였다.

잠시 후, 낙타가 실려 있던 트럭이 떠나고도 한참을 그 휴게소에서 떠나지 못했던 그 시간 8월의 뜨거운 여름 먼 하늘로는 드물게 뵈는 맑고 선명한 노을이 아름답게 저물어 가고 있었다.

남명매(南冥梅)심은 뜻은

조선(朝鮮)의 백성으로 태어나 군왕(君王)의 부름으로 조정에 나아가 임금의 신하가 된다는 것은 크나큰 영광인 것이 당시 사내대장부의 포부인 거다. 그 뜻을 위하여 수많은 사내들이 두문불출 형설(螢雪)의 공을 쌓으며 청춘을 바쳤다.

당시 평균수명이 45~50세 정도이던 시절, 문과 합격의 평균 나이가 35세에 4~50대가 불과 15%라는 것은 과거시험이 얼마나 고단한 과정이었던가 하는 것을 말해 준다.

그런 노력 끝에, 과거시험에 합격하여 조정의 대소사에 임하며 국사에 참여하는 영광을 얻는 것이었으나, 영광도 마다하고 변방으로 물러나 초야에 묻힌 안타까운 인물도 있었으니 전남 담양의 '소쇄원(瀟灑園)'으로 물러난 '양산보(梁山甫: 1503~1557년)' 선생이다.

'양산보' 선생은 스승인 '조광조'가 '기묘사화(己卯士禍)'로 인하여 '화순 능주'로 유배되어 사약을 받게 되자 명예와 출세의 덧없음을 깨닫고 고향으로 내려와 자신의 호 '소쇄옹(瀟灑翁)'에 원(園)의 이름을 붙여 '소쇄원'이라 칭하고 스스로 초야에 묻힌 거다. '소쇄원'은 조그만 시냇물이 흐르는 대밭이 있는 작은 계곡과 정자가 있는 그 주변을 이르며 그 정취가 가히 조선 '별서정원(別墅庭園)'의 백미(白眉)이다.

특히, 가을의 '소쇄원'은 종일 해가 지도록 머물러도 떠나기 싫을 만큼 그 풍광이 아름답고 서정적으로, 일본의 3대 정원으로 평가받는 '가나자와시(市)'의 '겐로쿠엔'/ '오카야마(市)'의 '고라쿠엔'/ '미토(市)'의 '가이라쿠엔'과는 전혀 다른 소박하고도 자연스러운 정취가 일품이라고 할 수 있다.

또 한 명의 안타까운 전설적인 인물이 있으니 다름 아닌 남명(南冥) '조식(曺植: 1501~1572년)' 선생이며, 조선 전기의 성리학자이고 영남학파의 거두이다. 재주가 뛰어났으며 '명종'과 '선조'로부터 중앙과 지방의 여러 관직을 제안받았으나 한 번도 벼슬에 나가지 않고 후학 양성에만 주력했다.

선생은 '지리산 천왕봉'이 바라보이는 경남 산청에 '산천재(山天齋)'라는 학당을 짓고 마당에 매화 한 그루를 심으며 학도들을 가르치는 것으로 소일했다.

세월이 흘러 450년 후에, '조식' 선생이 심은 매화나무는 '남명매(南冥梅)'라는 이름으로 늦은 겨울의 그 신선한 고결함이 출세를 마다하고 천왕봉을 기리며 초야에 묻힌 순결한 선비 남명 '조식' 선생의 명성을 아름답도록 빛내주고 있는 거다.

선생에게는 출세로의 수많은 유혹과 그 유혹을 뿌리친 글에 '사직소'라는 명문(名文)이 있다.
"지금 저의 나이는 예순에 가깝고 학문은 어두우며 문장은 과거시험 끝자리에도 뽑힐 수 없고 행실은 물 뿌리고 비질하는 일을 제대로 하기에도 모자랍니다."
'남명' 선생은 이름만 믿고 채용한다면 임금에게도 부담이 된다는 경고까지도 마다하지 않는다. "그 사람을 알지 못하면서 등용하여 훗날 국가의 수치가 된다면, 어찌 죄가 보잘 것도 없는 신에게만 있겠나이까."

선생께서는 사람들이 한사코 오매불망 목을 매는 출사를 거부하는 이유로, 천학비재(淺學菲才: 학문이 얕고 재주가 변변치 않음의 뜻으로 자신의 학식을 겸손하게 이르는 말) 반부논어(半部論語: 반 권의 논어라는 뜻으로 자신의 지식을 겸손하게 이르는 말)를 꼽으며 겸양하였다. 명예욕와 출세욕에 발목 잡힌 채 흰 죽사발 개가 핥은 얼굴로 많은 국민을 자괴감에 빠트린 '문재인' 정부의 민정수석 '조국'이 제발 스스로 돌아보았으면 하는 간곡한 마음으로 이 글을 쓴다.

냉면 이야기

 나는 여름이면 냉면을 즐겨 먹는다. 남자들은 그중에 대개 물냉면을 좋아한다. 대장암의 수술과 속이 냉하여 위가 약하다는 건강진단의 결과로 의사는 면 종류의 음식과 술을 피하라 하지만, 술과 냉면 그리고 메밀국수를 뺀다면 나머지 나의 인생은 얼마나 밋밋하겠나.
'냉면이란 무엇인가'에 대한 답변으로 '차갑게 식힌 국물에 국수를 말아서 만든 음식'이라지만, 육수를 어떻게 우려냈느냐에 따라서 또한 면의 성분과 함량이 어떠한가에 따라서 그리고 그 고명의 구성이 무엇무엇이냐에 따라서 냉면의 맛은 천양지차를 이룬다.

종로 인사동에 살던 어린 시절 아버지의 손을 잡고 집에서 몇 블록 떨어진 냉면으로 유명한 을지로의 '우래옥'을 다녀왔던 기억을 더듬어, 몇 년 전에 시원하고 담백하다는 '우래옥'의 동치미로 말아 낸 물냉면을 시식했는데 시대의 변화로 이미 달달한 비빔냉면에 길들여진 나의 입맛에는 니무 슴슴하여 그 진 맛을 느끼지 못한 아쉬움이 있다.

지금까지 냉면을 가장 맛있게 먹었던 기억으로는, 80년대에 다니던 회사의 근처 압구정동 현대백화점 지하에 있었던 냉면집을 그 첫째로 꼽겠다.

백화점 지하에 있는 간이테이블 서너 개의 흔한 푸드코트인데, 점심시간이면 오직 그 점포만 유일하게 백화점의 다른 코너까지를 빙빙 돌아가면서 대단히 길게 줄을 늘어선다.

그 무렵, 나는 안양 인덕원 옆 관양동에 살면서도 주말이면 차를 달려 그 비냉을 먹겠다는 일념으로 오고 갔던 추억이 있다.

지금 우리나라 냉면의 면은, 국산 메밀의 부족으로 비싸므로 대부분 인도산 메밀을 주로 사용한다. 그렇지만, 아직도 국산 메밀을 주장하는 곳도 더러 있다.

겨울이면, 흙벽에 방바닥도 뜨끈한 강원도 횡성군 공근면의 '삼군리 메밀촌'의 메밀 막국수는 그 맛이 슴슴하면서도 메밀이 주는 그 맛에 집중한 아름다운 냉면이다. 솥뚜껑에 얇게 부쳐 식전에 내주는 메밀전 한 장은 소박하고 정갈함이 맘에 든다.

양푼 한가득 이 집 냉면을 비우고 나면, 그 냉면이 안겨 준 가슴 훈훈함에 아름다움을 느끼게 된다는 것이 나의 지론이다. 단점이라면, 좁다란 외길로 산골짝 깊숙히 꼬불꼬불 조심조심 한참을 타고 올라가야 한다는 거다.

혀와 뇌가 맛을 인정하는 맛집으로 진주에 있는 '하연옥'도, 퓨전 냉면이면서도 전통을 잘 살린 맛있는 냉면집이다.
제주의 흑 메밀로 면을 뽑기에 진한 향내가 특징이며 소고기 육수이기에 구수하며 속이 편안하다. 맛을 보지 못한 사람에게는 아무리 글로 주장해봐야 헛일이지만, 1945년에 창업하였다고 하며 그 맛이 과연 일품이기에 믿어줄 만하다고 본다.

수원에서 제일 맛있는 냉면집은, 수원 통닭 거리 인근 좁은 골목에 자리한 60년 전통의 '대원옥'이다. 어머니께서 하던 주방일을 아들이 이어받아서 하고 있지만, 맛은 변하지 않았다.
장군감으로 손색이 없는 잘생긴 호남자 대장부의 솜씨이다. 물냉이 비냉처럼 보이면서 다른 집과 다르게 육수가 충분하게 들어가 시원한 식감이 어느 계절에 맛봐도 일품이다.
수원의 토호 세력들과 정객/ 관청 수장들의 중식당이라고 봐도 무방하다. 다만, 주의할 점이 언제든지 문이 닫혀있을 수 있으므로 항상 사전 확인이 필요하다. 이유라면, 서빙과 계산을 맡은 분이 호남자 주방장 사장의 어부인인데 소박하면서도 은근한 미인인 지라 남자 손님이라면 쓸데없이 눈을 맞추고 오래 이야기해서는 절~대 안된다.

사장의 어부인이 날씬한 미인에 눈웃음이 아름다운데다가 사근사근 말장단도 잘 맞추어준다고 하여 눈을 맞춘 채 길게 대화를 끌어가다가는 주방에서 수시로 관찰(?)하는 사장 겸 주방장의 안테나에 걸리면 그 즉시 문을 닫고 그날 장사 종 치는 수가 있을 수 있음을 반드시 유의해야만 한다.

내가 살던 수원에는 전에 훌륭한 갈빗집이 있었다. 그 원조로는 수원갈비의 전설 '화춘옥'이 있었던바, 지금은 수원에 갈비 맛집은 없다고 해도 과언이 아니다. 수많은 전국의 갈빗집에는 어느 집이거나 후식으로 주문받는 냉면이 있는데, 참~ 맛이 없다.

수원뿐 아니라 전국의 갈빗집들이 대개 그런 것 같다. 메인의 메뉴인 갈비의 맛내기에는 그토록 집중하면서도 후식으로 주문받는 냉면의 맛에는 어찌 그토록 무신경인지 일본사람 음식 장사들에게서 그 한 수를 배워야 한다고 본다.

일본엘 가면, 다찌노미(たちのみ/ 선술집) 반 평 음식 장사일지라도 단무지 하나 손님 앞에 내놓는 것에도

온갖 정성과 심혈을 기울이는 것에 감동하게 한다. 음식은 역시 재료와 재주 못지않게 제대로 맛을 내려는 정성과 마음 씀씀이가 더 중요한 거다.

역사(歷史)라 이름하는 우리들의 삶을 지탱하는 것이야말로, 메밀의 냉면처럼 가늘고 질긴 사소한 것일지도 모르겠다. 씨 뿌려 가꾸며 땀 흘려 농사짓는 우리들의 이름 모를 아름다운 농투산이와 변방의 산골을 오가며 강원도 오지 그 깊숙한 곳 '살둔산장'과 같은 좁은 여인숙 방의 목침에 때를 남긴 등짐꾼들, 아무도 그 이름 석 자를 기억해주지 않는 그들과 그 재료들을 취사선택하여 최선의 음식으로 만들어내는 이름 없는 수많은 은둔식달은 우리 한반도 역사의 주인공이 아닐까 하는 생각이다.

천하를 호령하던 서슬 퍼런 영웅도 난세를 평정한 대장군도 결국 언젠가는 모두 스러지지만, 우리들의 정신과 그 영혼만은 오랜 세월이 지나도록 대를 이어 유전으로 전해진다. 오늘 우리가 소박한 한 가지 음식 냉면을 두고 애착을 보인 이유 또한 사소하지만, 그것이야말로 우리들 한민족이 추구하며 보유하고 있는 민족 고유의 바로 그 가늘고 긴 생명력과 빛나는 정신력 때문이라 나는 확신한다(08/11/2021).

네가 왕이 될 상이냐

 어느 봄날 오후, 할머니 세 분이 마을회관에 모여 앉아 이야기를 나누고 있었다.

먼저, 충주 할매 : 저 뭐시냐, 그 예수~라꼬 허는 사람이 대체 누구랴?

밀양 할매 : 으응~ 내가 들은 적이 있는데, 뭐 대못에 찔려 죽었다등가 허는 그 냥반 아녀...??

군산 할매 : 그럼 그렇지, 신발 벗고 돌아댕긴달 때 내 그럴 중 알았다니께...!!

다시 충주 할매 : 츠암~, 이런 말을 해얄지 말아얄지 몰겠네 증말. 우리 며느리가 혼자 중얼거리며 허는 말로는 뭐 지 땜에 죽었다꼬 그러던데??

밀양 할매 : 그랴? 아니, 내가 듣기로는 우리 며느리가 즈덜 방 벽에다 대고 병든 달구 새끼마냥 머리를 조아리면서 "아버지~ 아버지~" 해싼는 거로 바서는, 우짜면 내하고 사돈 관계인지도 몰겠더라고??

군산 할매 : 오모~ , 글타문 새칠로 말혀서.. 자네 사돈이 맨발로 쏘댕기다가 대못에 찔려 죽었다능 거시기 긍게 그 예수가 맞다 이 말이여???

나는 젊어서부터 영화광인지라, 있는 건 시간뿐 백수인 요즘 동영상 스트리밍 서비스 '넷플릭스'에 빠져지낸다. 재작년이던가, 넷플릭스에서만 개봉한다는 교황 '베네딕토 16세'와 그 후임 교황인 '프란치스코'의 이야기를 다룬 《두 교황》과 내가 무쟈게 좋아하는 감독인 '마틴 스콜세지' 그리고 금세기 최고의 연기파인 '로버트 드 니로'가 연기한 《아이리시맨》을 볼 요량으로 '넷플릭스'에 가입하여 두 영화를 아주 맛깔나게 보았다.

떠오른 우리나라의 드라마 중에 '오징어 게임'이 있다. '오징어 게임'은 알다시피 나락에 빠진 인물들이 거액의 상금을 위해 목숨을 건 생존 게임의 이야기이다.
드라마는 '무궁화꽃이 피었습니다' '달고나 만들기' 등 전통적 놀이문화를 버무렸으며, 데스 게임 장르에 물신주의와 특유의 신파 코드 그리고 극단적 생존경쟁이라는 사회적 메시지가 있는 드라마이다.
화제작이기에 보긴 했지만, 만인의 만인에 대한 투쟁/자본주의 금전만능이 지나치게 말초적으로 표현되었으며 MBC 일요 예능 프로 《1박 2일》의 강호동이 소리쳐 유행한 "나만 아니면 돼~!!"라는 각자도생이 환멸스리울 따름이다.

금전이 만능인 현실의 모순만을 나열하는 것에서 그치는 것이 아니라 시스템을 고발하고 어떻게 바꿔야 할지를 설득하여 완성도를 높였으면 하는 아쉬움이 있다. 이 무한경쟁의 모순이 시스템의 문제가 아닌 결국 사람 탓이라는 결론은 당혹스럽다.

또 하나 영화도 영화이지만 볼만한 장르 하나가 더 있다. 그건 바로 우리나라 양대 정당이 벌리고 있는 대통령 선거전이며, 국민의 힘에서 출마한 윤석열과 홍준표/ 더불어민주당의 이재명과 이낙연이 그들이다. 그들 모두는 결사의 각오와 불퇴의 정신으로 임하는 듯 최선을 다하고 있다고 보인다.

여러 실정에도 불구하고 현재의 정권이 진행하고자 하는 맥을 끊을 수 없다 하는 뻔뻔한 절박함과 그 흐름을 반드시 여기에서 끊고 정권을 교체하여 자유민주주의를 완성해야만 한다는 두 양당의 치열한 대결이다. 그러나, 상기 4명의 후보가 보여주는 치명적 결점들은 국민을 난감하게 하고 있다. 윤리적인 문제와 금전적 부패 그리고 끼리끼리 정치의 후진적 문화를 노출하며 스스로 괴물이 되었으나 적극적이며 도전적인 실적을 보여주었던 이재명 후보/ 문화적으로 정치적으로 누구 못지않은 경력임에도 불구하고 도지사와 총리 시절을 지내면서 실적이 기대보다 부진했으나 인격적으로는 가장 원만한 이낙연 후보/ 검찰총장을 지내면서 기죽지 않는 투쟁력과 국정감사에서 보여준 확고한 언변으로 높은 여론을 업고 대선에 도전하였으나 시간이 지날수록 강화도령 타입의 어버버한 언행 3일 1똥볼로 실망만을 일으키는 윤석열 후보/ 온갖 경험 많은 경력자임에도 불구하고 《모래시계》 시절의 총기와 담력은 바람과 함께 사라졌으며 막말과 가부장적인 언행만을 일삼는 홍준표 후보.

앞으로 5개월 남은 대통령 선거가 대장동과 제보 사주/고발 사주로 뒤엉켜 있는 상황이다.
이번 대선의 화두는 '비호감의 대선'으로 보인다. 4명 대선 주자들에 대한 비호감도가 역대급이다. 우리가 어쩌다가 이렇게 인물이 없는 나라가 되었는지 한심한 생각이 든다.
미테랑이나 마가렛 대처를 바라는 것도 아니다. 지도자급 인물은 박정희/ 김영삼/ 김대중/ 이명박으로 끝이냐 하는 자괴감까지 든다. 지금 대선에 거론되는 4명 어느 후보에게도 진정 마음을 주고픈 인간이 없다. 수준 낮은 이전투구의 진창에 빠져있는 대선 후보님들에게 삼가 말씀 올린다. 고단하고 배고픈 국민을 위하여 찬물에 목욕하고 스스로 답하라. 과연, 네가 왕이 될민한 인간이냐?

다시 한 해를 보내며

 바닷가 떠내려온 난파선
아스라한 그리움마저 잃어버리고
그 난파선에 갇힌 낙타
날개 부러진 갈매기 마냥

파닥거리다 목 놓아 울다
부딪는 파도에 그 설움 모두 보내고
텅 빈 소라껍데기는
목쉰 바람 소리

마침내 도착했던 머나먼 바다
고래를 잡을 것만 같아
고래가 왈칵 반겨줄 것만 같았던
난파선 된 무모한 도전의 파편 조각들

다시 한 해를 갈무리하는 저녁
퍼붓는 성긴 눈발 속에
안타까이 부러진 상처

멍들고 타버린 붉은 얼굴

지금 바로 이 시간처럼 수백 번의 자정이 지나가고 이제 달랑 십여 차례의 자정만 남겨놓고 있습니다. 그렇고 그랬던 한해는 이렇게 다시 저물고 새로운 한 해를 준비할 때입니다. 우리는 그렇게 살면서 사연으로 가득한 장편소설처럼 한장 한장 시간의 백지를 메워갑니다. 도무지 알 수 없는 누구도 안내해주지 않는 방향과 길을 따라 흘러온 여행입니다.

이제 한 해 동안 살아 온 사연을 마무리하고 새로운 페이지를 넘길 시간, 얼마 남지 않은 시간이지만 몇 번째 1년 365일의 삶을 거푸 퇴고 하는 중입니다. 바쁘게 때론 힘겹게 한 해를 보내면서 채워진 기쁘고 슬프고 아프고 또는 즐거웠던 사연들 하나하나 되짚어보며 다시 시작되는 새로운 페이지는 좀 더 의미 있으며 재미있고 아름다운 이야기들이 채워질 수 있기를 기도하는 마음입니다.

오늘따라 지금껏 살아온 시간의 분량보다 얼마 남지 않은 나머지 분량의 시간이 더욱 소중하게 느껴지는 이유는 무엇일까요. 기쁨이든 슬픔이든 외로움이든 누군가의 노래 가사처럼 '지나간 것은 지나간 대로' 지나간 것은 모두 아름답고 그립다고는 하지만 그래도 뒤를 돌아보는 시간이 많아진 요즈음 그리워지는 시간이 때로는 애잔하고 더러는 너무도 아쉽습니다.

재깍거리는 벽시계의 재촉 소리를 들으며 어두워진 창밖을 보면서 오래전 어느 페이지를 뒤적입니다. 이미 까무룩 잊혀진 기억이지만, 오래 전 우리들이 수없이 쏘아 올린 젊은 날의 그 화살들은 지금 어디쯤 날아가고 있을까요.
지금 내 앞 소주잔 속에 그 화살이 빠진 것은 아닌지 내려다보니 눈물 한 방울 화살 되어 잔 속으로 떨어져 뒹굴고 있음입니다.
우리가 쏘아 올린 그 빛나는 화살들은 분명코 과녁을 통과하리라고 믿어 의심치 않았던 젊은 날의 패기가 아직도 생생하건만 속절없이 오늘 하루도 이미 다시 자정을 지나 흘러가고 있을 따름입니다.

수도권에서 직장생활을 하던 시절, 때로 마음이 권태롭고 헛헛하면 차를 달려 서산 용현리 산자락 바위벽에 머물러 계신 '마애여래삼존불'을 뵈러 다녔습니다.
신비롭게도, 그 삼존불의 미소는 아침이 다르고 저녁이 다르며 계절에 따라서도 다르게 보입니다.
아침에 만나는 삼존불의 미소는 밝고 평화로운 미소

이며 저녁에 만나는 미소는 은은하면서도 자애로운 미소입니다. 여러 번 다녀 본 저의 소견으로는, 가을 해가 서산에 넘어갈 무렵의 잔잔한 미소가 가장 아름답고 우아하며 자비로운 미소라는 생각입니다.

누군가 또는 어느 대상을 좋아할 때를 팬이라고 부른다면 저는 그 '마애여래삼존불'의 팬을 넘어 덕후를 지나 성덕이라 불리어도 좋을 것입니다.

일본인들은 작은 소규모 점포일지라도 누대를 거쳐서 가업으로 이어가고 있는 것으로 유명합니다.

'2002년 한일월드컵' 개최에는 세계적인 행사의 두 주역으로 우리의 '정몽준' 회장과 일본축구협회장인 '오까노 순이치로' 회장이 있습니다.

'정몽준' 회장은 '오까노' 회장의 초청으로, 일본의 거물인 그가 개인사무실인 본인의 개인사업체 점포가 있는 사무실에 초대받은 적이 있는데 '오까노' 회장은 대를 이어서 가업으로 붕어빵 집을 훌륭하게 하고 있다는 것입니다.

정회장이 '오까노' 회장의 사무실에 들어섰는데, 사무실 벽면에는 커다랗게 우리 기업들의 사훈 같은 글이 씌어져 걸려 있었는바 거기에는 다음과 같은 글이 적혀 있었던 것입니다. 《머리부터 꼬리까지 앙꼬》.

"God is in the detail."이라는 말이 있습니다. 우리에게는 『보바리 부인』이라는 소설로 유명한 프랑스의 작가 '귀스타브 플로베르(프랑스 사실주의 문학의 창시자)'가 사용한 말이라는 겁니다.

'신은 디테일에 있다.'는 이 말은 우리말로는 '개미구멍으로 방죽도 무너진다.'가 비슷한 의미라고 하겠습니다.

세부사항이 중요하다는 의미이겠으나, '근소한 차이'를 말하는 '한 끗 차이'는 일상 속에서 종종 '결정적인 한 방'으로도 통합니다. 조금만 더 신경 쓰고 세세하게 챙겼더라면 완성하거나 성공할 수도 있었는데 뒷심부족이거나 의지박약이거나 부주의/ 실수 또는 방심으로 놓친 고기 다시 보니 안타깝습니다.

차라리 백종원 씨가 훨 나은 것이 아니냐는 미련이 남는 그 인간이 그 인간인 별 볼일 읎는 한심하기만 한 도긴개긴 마바리와 족제비의 대통령 선거를 포함하여 우리 모두의 일과 평화가 신과 함께 할 것인지 악마와 함께 할 것인지는 모두 우리 자신에게 달렸다고 하겠습니다.

우리 모두의 선택이 '한 끗 차이'를 넘어 완성하는 '신의 한 수'가 되는 2022년이 되기를 간절히 바랍니다.

달콤한 인생

 아버지에 대한 추억은 단 한 조각도 떠오르지 않는다. 대여섯 살이던가 외삼촌에게 손목을 잡혀 외할머니 집에 왔다. 식구들과 같이 밥을 먹을 때에 나에게 눈길을 주는 사람은 아무도 없었다. 다만, 음식을 흘렸을 때이거나 맛난 반찬을 먹을 때에는 어른들로부터 따가운 눈총과 질책은 있었다. 학교의 공부는 나의 적성에 맞지 않았고 재미도 없었다. 부모와 함께 손을 잡고 걷는 아이를 부러운 눈으로 바라본 적이 많았다. 그럴 때마다 혼자 세상을 원망하였으며 초등학교 졸업을 한 이듬해이던가 서울에 왔다. 번화가의 큰 이발소에서 심부름을 하였다. 구두도 닦았다. 구경도 못 해본 돈이 날마다 생겼다. 난생처음 음식을 양껏 먹어봤으며 먹고 싶은 음식과 옷을 마음대로 사 입었다. 같은 업종의 친구들과 세상 무서울 것 없이 지냈다. 여자와 동거도 해봤지만 서로 뜻이 맞지 않았다. 시내버스 운전으로 직업을 바꾸었다. 돈을 버는 것도 그저 심드렁하고 스스로의 무게만큼만 삶의 길을 만들며 술과 낚시만이 다만 살아가는 재미의 모든 것이었다.

나이 육십하고도 다섯을 지나 산촌에 오두막을 짓고 칩거했다. 외로웠지만 술이 있어 견딜만하였다. 술과 담배만이 내 삶의 모든 것이다. 해가 지면 달이 지고 달이 술잔 속에 떠 있는 그 길의 끝 적막하디 적막한 이 밤이 오히려 황홀하다. 그 어둠 속에서 우화하는 달콤한 꿈, 그 먼 길을 떠난다.

--- 재오 형의 영면을 기원하며(06/23/2023).

랩소디(Rhapsody : 미니 픽션)

 어떻게 보면, 인간의 기억이라는 것은 오류가 그 특징이며 시간을 가로지르는 다리와도 같은 것이라고 하여도 과언이 아니겠다.

'성훈'은 다재다능하고 머리도 명석한 친구였으며, SKY는 아니고 대학의 신문방송학과를 졸업하고 전통 있는 신문사에 기자로 입사하였다. 뛰어난 외모는 아니었으나 나름의 성실함과 노력 그리고 타고난 문장력/ 날카로운 직관 등으로 다른 기자들보다 지상에 기사를 훨씬 더 많이 올리게 되었다. 자연스레 '성훈'은 입사 초부터 사내의 동기 중에서 눈에 띄게 되었으며, 신문 지상에 오르던 이름 석 자는 차츰 독자들에게 알려지게 되었던 거다.

나는 그보다 입사 3년의 선배이지만, 그는 나보다 더 주목받는 후배 기자였다. 그는 업계의 주목받는 기자로서 똑똑하고 침착하였으며 친절한 미소 덕분에 사내 주변에 적이 없는 편이라고 봐도 된다. 시간이 흐르면서 '성훈'은 사회부 기자로서는 제법 안정적인 위치를 잡았으며 사내에서도 동기들보다 진급이 빨랐다.

진급한 지 얼마 지나지 않아 사장으로부터 표창장도 수여 받아 사내의 인지도까지 올라가면서 여직원들로부터 구애의 미소를 여럿 받았던 것으로 전해진다.

　1980년대 그 세월과 함께, 나는 그와 두세 번 등산을 다니면서 주말을 보낸 적도 있었으나 이렇게 저렇게 바쁜 기자의 일상을 보내다가 같은 그룹사의 방송국으로 발령을 받아 그를 잊고 새로운 환경에 적응하여 일에 파묻혀 살게 되었던 거다.

신문사이건 방송국이건 기자라는 직업은 다른 직장인과 달리 대단히 바쁜 직장인이다.

신들린 것처럼 살아내도 자리보전이 어려운 매스컴의 환경으로 고군분투하는 시간 속에서 어느 날 바람결에 '성훈'이 회사를 그만두었다는 이야기를 들었다.

점심시간에 방송국 옆의 설렁탕집에서 한 그릇을 비우고 근처의 카페에서 동료들과 커피 한 모금을 들이키다가 그 소식을 듣는 순간 나는 커피를 토할 뻔하였다. 왜냐고 묻는 나의 질문에 동료 여직원은 '성훈'이 생각하는 직장과 신문사의 기자라는 직업이 주는 괴리감이 아니겠느냐는 진단이었다.

나는 끄덕여지는 부분이 있었지만, 그걸 모르고 도전한 사람이 아닐 터인데 하는 생각으로 의아한 면이 있어서 갸우뚱하여 졌다. 그러나, 그것은 점심시간을 잠시 때워준 햇살 가득한 겨울 도시 찻집 창가의 따스함으로 지나간 한 토막의 삽화일 뿐이었다.

그날 퇴근길, 도로 위 수많은 신호에 걸리면서 어쩔 수 없이 천천히 귀가해야 하는 승용차 안에 흐르는 음악 칼럼니스트의 목소리와 음악을 들으면서 나는 성훈의 퇴사에 대하여 잠시 생각하게 되었다.

신문사 근무 시절 바로 옆방의 부서에 근무했던 '성훈'은 아마도 진급을 하면서 차츰 안정적인 직장을 희망했던 것이 아닐까 하는 생각이 들었다. 매스미디어에 근무하는 직장인의 바쁘고 거친 일상이 그를 허탈하게 하였을지도 모르겠다는 판단이며, 나 또한 마찬가지이지만 말이다. 더구나, 우리 세대들은 새로운 나라 새로운 환경 새로운 강국을 만들어내는 현대 인류가 만든 국가 중에서 가장 빠르게 강력하고도 부유한 나라를 창조해낸 그 첫 세대 당사자들 아닌가 말이다.

기계 분야는 기계 분야대로 전기/ 전자 부분은 그것대로 식/ 음료 부분은 그들 나름대로 조선은 조선대로 자동차는 그것대로 그 모든 분야에서 우리 세대들은 처음으로 새로운 환경과 기술과 기능과 국가를 창조해낸 그 인물들인 거다.

대학을 졸업하고 입사한 이후, 시간보다 더 급변한 사회적 그리고 환경적인 변화 그 속에서 성공과 실패를 이루어낸 '성훈'이 삶에서 자신의 능력과 재능을 더는 발현시킬 수 없는 현실과 인간 이상의 철학과 행동을 강요하는 사회 속에서 좌절을 느낀 것은 아닐까 하는 생각이다.

나는 근무하는 방송사가 분사와 지방 방송국을 편성하는 격변을 치르면서 또 한 해를 거칠게 보냈다.

아이들은 날마다 거짓말처럼 성장하였으며 내가 미친 듯이 방송국 일에 몰두하는 시간에 아내는 아이들의 공부와 입시에 매달려 지냈다.

북한은 핵무기를 놀라운 속도로 발전시켰으며, 우리나라는 더불어 함께라는 모순 속에서 최근 새롭게 돋아난 날개를 힘차게 펼쳐 날아오르지 못한 채 퍼덕거리기만 하면서 낮과 밤을 소모했다.

무더위의 여름이 지나고 가을에 접어든 어느 주말 낮, 이른 점심을 먹은 나는 모처럼 호연지기를 다스릴 양으로 우리 도시가 도립공원을 준비 중이라는 산에 오르겠다며 이름도 거창한 백두산 물 두 병을 배낭에 넣고 등산화 끈을 질끈 동여맨 후에 열심히 산엘 올랐으며 여름이 지났다고는 하지만 등산에는 아직 땀이 필요하였다.

생활과 관계의 온갖 스트레스와 번민을 등 뒤의 산 아래로 밀어내며 잠시라도 타인을 외면한 채 산을 오르고 계곡을 누비면서 얼마를 걸었을까 허리와 다리도 아프고 목도 마르기에 계곡물이 흐르는 인적이 드문 조용한 곳에서 모처럼 계곡물에 발을 담그고 쉴 요량으로 이곳저곳 장소를 물색하며 계곡을 누볐다.

오랜 물색 끝에 제법 맞춤한 장소를 발견하고 등에 달라붙어 땀내 나는 배낭을 내려놓고 등산화와 양말을 벗어두고 바지의 아랫단을 둥둥 걷어붙인 채 계곡물에 발을 넣었다. 계곡물의 차가움은 짜르르하게 냉기를 온몸에 전해왔으며 물가의 바위에 털썩 주저앉아 배낭의 물을 마시면서 일상의 분주함을 잊은 채 계곡의 서늘함을 음미하고 있었다. 사위는 고요하며 청량한 물소리와 더불어 간혹 아름다운 새소리가 들려왔고 인적이 없으므로 더욱 쾌적하여 피곤함과 더위가 순식간에 사라짐을 느꼈다.

오후 늦은 시간이 되도록 얼마를 그렇게 쉬었을까, 문득 주변이 서늘해지면서 찬바람이 느껴졌다. 갑작스러운 냉기에 온몸이 오싹함을 느낀 나는 주변을 둘러보았으나 이상한 점은 없었다. 그러함에도 불구하고, 그 오싹한 냉기는 사라지지 않았으며 그 이상 그 자리에 머물고 싶은 생각이 사라졌다.

이름 모를 수상한 기분 때문에 서둘러 자리를 수습하고 배낭을 어깨에 짊어지려는 순간, 수풀 속에서 부스

럭거림과 함께 수상한 물체가 어른거렸다. 자세히 보려 하였지만, 물체는 자세한 모습이 보이지 않았으며 얼핏 멧돼지가 아닌가 싶은 생각이 들었다.

그 물체는 숲속 큰 나무 뒤로 몸을 숨겼는데, 나무와 수풀 속에서 놀랍게도 사람의 목소리가 크게 들려왔다. "선배님, 제발 놀라지 말아 주십시오. 믿어지지 않겠으나, 저는 신문사 시절의 후배 '성훈'입니다. 기억하실지 모르겠습니다만, 사회부 기자였던 '성훈'입니다."

소리는 잠시 뜸을 들이는 듯싶더니, 이내 평정심을 찾고 이어졌다. "자초지종을 말씀드려야 어차피 믿을 수 없는 사실이지만, 선배님처럼 저 또한 산을 좋아하는지라 기자 시절 마음이 힘들고 삶이 환멸스러우면 높은 산을 찾았으며, 그런 날은 그 산의 휴양림에 있는 숙소에서 잠을 자던 어느 날이었습니다.

심야의 잠결에 누군가 부르는 소리에 잠이 깨어 방문을 열고 밖을 내다보니 누군가가 나를 부르는 소리에 달려 나가 소리의 실체를 따라가다 보니 달려가면 달아나고 달려가면 달아나기에 얼마인가를 달리다 보니 어느새 제가 네발로 달려가고 있는 것이 아니겠습니까. 문득 놀라 정신을 차리고 온몸을 훑어보니, 제 몸에는 네 개의 다리에 온몸은 털이 났으며 이마에는 뿔이 솟았고 근질거리는 등에는 날개 비슷한 형체가 보였으며 입은 멧돼지처럼 불쑥 솟아난 채 검붉은 괴수의 형태로 변하고 말았던 것입니다.

이것은 분명 꿈일 것이라고 꿈속의 꿈일 것이라며 '리어나도 디캐프리오'가 주연으로 등장한 영화 '인셉션'의 장면들을 생각하면서 몸부림을 치며 끔찍한 저의 형태를 부인하여 보았지만, 아무리 머리를 털고 온몸을 흔들며 소리를 쳐봐도 제가 짐승으로 변모하였다는 사실은 틀림없었다는 것입니다.

울다 지쳐 곰곰이 저의 몸 형상을 쳐다보니, 언젠가 공주의 국립박물관에서 보았던 백제 '무령왕릉'의 능 안에서 발견되었다는 악령이나 도굴꾼의 침입을 막기 위해 묘실과 연도에다 둔다는 상서로운 짐승 그 이름도 생소한 '진묘수(鎭墓獸)' 그것으로 생각됩니다.

도대체 이것이 무슨 어떻게 된 일인지 알 수는 없었지만, 차차로 날이 새고 계곡물에 엎드려 내 모습을 비추어봐도 믿을 수 없지만 영락없는 그 '진묘수' 그 형상이었던 겁니다. 절망으로 며칠을 산속을 헤매면서 울부짖으며 지냈지만, 짐승으로 변모한 저의 일상은 변함이 없었던 것입니다.

첨단의 현대인으로 대한민국 수도의 한복판에서 살아가는 인간이었던 내가 이런 짐승으로 변화하였다는 것은, 어쩌면 인간이기 이전에 나는 짐승이었을지도 모르겠다는 생각이 들었으며 윤회라는 철학을 떠나 차차로 짐승의 마음으로 변화하는 나의 품성과 본능을 생각하면 더욱 끔찍해집니다. 그러나, 어쩔 수 없이 나는 날마다 짐승의 본능을 발현하며 날짐승을 잡아먹고 생식을 하면서 연명을 하고 있을 뿐 아니라 동물을 잡아먹으면서 식욕이 증가하고 있다는 어처구니없는 현실에 망연자실할 뿐입니다.

놀랍기는 하지만, 어쩌면 내 안에 살아있던 인간의 본성이 사라지는 것이 오히려 속 편한 일인지도 모르겠다는 생각도 듭니다.

누가 시키지 않아도 스스로 온갖 생각과 철학으로 삶에서 마주치는 모든 부조리와 현상을 잣대질하며 피곤하게 살아왔던 그 시절이 오히려 지긋지긋하기도 하다는 생각이죠.

인간이라는 동물은 이성과 감정의 동물인가요 아니라면 물질적인 존재에 불과한 것일까요. 진리와 정의를 추구한다는 인간의 명제는 삶의 변화무쌍한 현실에서 만들어지는 결과의 산물일까요. 도전과 모험으로 가득한 인생의 노정에서 우리는 신인지 조물주인지 께오서 하사하신 삶을 슬픔없이 즐기며 만족하면서 살아내 지고 있는 것인가요.

밤이면 굴속에 엎드려 구슬프게 울면서 스스로 자신

을 돌아봅니다. 단 한 편의 좋은 작품을 쓰고 싶어서 작가이기 이전에 기자가 되었던 나는 인간으로 살아내지 못하고 이렇게 어처구니없는 짐승으로 살다가 평생을 마쳐야 한다는 현실이 한없이 부끄럽고 창피할 따름입니다. 하지만, 이것만이 내 운명이라면 나뿐이라 자조하며 지내겠으나 짐승으로 변모하여 살다가 주위를 둘러보니 나뿐만 아니라 나와 비슷한 처지의 여러 동물을 만나게 되었습니다.

그들 모두가 쉬쉬하면서 살고 있으며 다들 서로를 모르고 본인만의 삶에 매몰되어 살아가고 있을 뿐이라서 주변의 변화를 전혀 모르고 있는 것입니다. 아니, 어쩌면 주변뿐 아니라 자신의 변모도 깨닫지 못하는 것은 아닐는지요."

마지막으로 '성훈'은 본인의 자태를 드러내 노을 속에서 번득이는 야수의 매력적인 모습을 기운차게 보여준 후에 커다란 울부짖음과 함께 숲속을 나르듯이 내달려 몸을 감추었다. 현실의 눈앞에서 벌어진 믿을 수 없는 이야기를 직접 보고 들으며 그 모습을 넋 놓고 바라보던 나는 대단히 매혹적인 동물 '진묘수' 아니 '성훈'이 사라진 한참 후에야 비로소 정신을 차리고 그 산을 어떻게 달려 내려왔는지 모를 지경으로 뛰고 내달려 하산을 하였던 거다 끝(04/12/2023).

리스본행 야간열차
(Night Train to Lisbon)

  12장으로 두툼했던 달력은 마침내 단 한 장만을 남긴 채 드나드는 방문의 바람에도 부르르 떨고 있습니다. 가을의 마지막, 그 심추(深秋)에 떠나는 밤 기차는 낭만적이기보다도 밤공기의 탓인지 무척 서늘합니다. 그러나, 서늘하지만은 않은 소설로 읽은 글을 영상으로 만나게 된 깊은 감동의 또 다른 열차가 있습니다. 고전 문헌학을 강의하는 교사 '그레고리우스(제레미 아이언스)'는 자리를 옮겨 앉으며 혼자 1인 2역의 체스를 두고 한 번 사용하고 버렸던 티백을 다시 재활용하여 뜨거운 차를 마시는 외롭고도 단조로운 사람입니다.

늘 그 옷이 그 옷인 헝클어진 머리칼의 아직 설익은 노년인 그의 생활은 비록 지루하지만 안온합니다. 학생들을 가르치는 일을 하고는 있으나, 학년이 바뀜에 따라 가르치는 학생들이 매년 바뀐다는 이유로 학생들과는 정을 나누려고 하지는 않습니다.

학교에 출근하는 비 오고 바람 부는 일진 사나운 어느 날, '그레고리우스' 교사는 다리 위에서 자살하려는 여인을 달려가 붙잡아 내려 말리므로 자살이 미수에 그치도록 합니다. 여인이 걱정되어 학교의 교실 안까지 데리고 들어가지만, 그녀는 조그마한 책자 한 권과 비에 젖은 붉은 가죽 코트 그리고 '리스본'행 열차 티켓 한 장을 남긴 채 사라집니다.
혹시나 그녀를 만날까 싶어 나갔던 기차역 플랫폼에서 '그레고리우스'는 알 수 없는 열정에 휩싸여 충동적으로 '리스본'행 열차에 올라탑니다.

그러한 우연으로, '스위스'의 '베른'에서 부터 출발하여 '포르투갈'의 '리스본'까지의 여행이 시작됩니다.
'리스본'행 야간열차 안에서 '그레고리우스'는, 여인이 남기고 간 책 〈언어의 연금술사〉라는 책을 읽습니다. 단행본처럼 보이는 작은 책은 '그레고리우스'의 단조로운 삶에 충격을 주어 그를 감탄하도록 합니다.
그런 연유로, 그는 '리스본'에 도착하여 호텔에 방을 잡고 즉시 책의 저자인 '아마데우 드 프라두(잭 휴스턴)'를 찾아 나섭니다. 하지만 저자인 '아마데우'는 오래전에 이미 죽었으며, 대신 노파가 되어버린 '아마데우'의 여동생 '아드리아나(샬롯 램플링)'가 그를 맞이합니다.

그 여동생 또한 '아마데우'라는 사나이의 삶의 궤적에 대한 추적에 일조하게 됩니다. '아마데우'는 포르투갈의 상류층 자제이며 아버지는 판사였고 '아마데우'는 지성/ 가문/ 외모/ 인품까지도 두루 갖춘 인텔리였던 겁니다.

'아마데우'의 궤적을 추적하던 중 갑작스러운 자전거와의 충돌 사고, 쓰고 있던 안경이 깨진 '그레고리우스'는, 새로운 안경을 맞추기 위해 안경점을 찾는데 안경점에서 만난 안경사 '마리아나(마르티나 게덱)'에게 자신이 '리스본'에 온 이유를 말하던 중 그녀의 삼촌 '주앙(톰 커트니)'이 예전에 '아마데우'가 활동한 반독재 결사 조직의 동지이자 친구였음을 알게 됩니다.

'주앙'을 통하여 '그레고리우스'는 '아마데우'의 삶의 궤적을 쉽게 추적해 나갑니다. '그레고리우스'의 안경을 통하여 감독은 우연(偶然)이 우리의 삶을 이끈다는 영화의 주제와 직결되는 중요한 포인트를 집요하게 보여주게 됩니다.

다시 말해 본다면, '그레고리우스'의 안경이 깨지지 않았더라면 '그레고리우스'는 '마리아나'와 양로원에 갇혀(?)있는 그녀의 삼촌 '주앙'을 만나지 못했을 것이라는 겁니다.

'그레고리우스'의 깨져버린 두꺼운 누런색 뿔테 안경은, 지루했던 그리고 정체된 그의 삶을 대변합니다. 반면에, '마리아나'가 맞춰준 새 안경은 고급스럽진 않지만 얍씰한 안경으로 전에 사용하던 투박한 안경과는 차별됩니다. 이 새로운 안경은 그의 삶의 변화를 상징한다고 볼 수 있습니다.

안경사 '마리아나'는 완성된 안경을 건네주며 말합니다. "당분간은 좀 어색할 거예요." '그레고리우스'는 새로 맞춰 어색한 안경을 매만지고 고쳐 쓰며 거울에 비친 자신의 얼굴을 한참 바라봅니다. 하나 더, 그를 '베른'에서 '리스본'으로 다시 '리스본'에서 '베른'으로 이끄는 야간열차 또한 인생이라는 여정을 상징하는 메타포라고 보입니다.

화자(話者) '그레고리우스'는, 일련의 이러한 우연한 사건들을 통하여 영화의 '이야기 속 이야기'라 할 수 있는 '아마데우'라는 한 사나이의 삶의 궤적을 추적하면서(마치, '이창동' 감독의 '박하사탕'을 연상하게 만드는) 자신의 삶도 변화하는 계기를 맞게 됩니다.

영화 속 '리스본'의 풍광과 고색창연한 건물들을 보여주는 구도는 아름다우며 아프고 슬픈 장면조차도 아름다워서 감동적입니다.

영화를 보면서 아주 오래전, '리스본'의 중심에 있는 '로시우 광장'의 분수대 앞에서 사진을 찍어 준 이름이 잊혀진 여대생에게 광장 앞 꽃집에서 파는 꽃을 선물하였던 로맨틱한 기억도 떠오릅니다. 영화의 포스터에는 '알칸타라 전망대'의 벤치에서 '그레고리우스'가 앉아있는 모습이 나오는데, '리스본'이 고풍스럽고 아름다운 도시이지만 '알칸타라 전망대'에서 해가 질 무렵 '리스본' 시가지를 내려다보면 감동적으로 아름답습니다.

영화 《리스본행 야간열차》는 인간의 삶을 이끄는 우연(혹은 운명)에 관한 실존적이고 철학적인 영화이며 불교론적인 영화로 보입니다. 누구나 돌아보면, 운명같은 우연의 순간들이 있었습니다. 물론, 대개는 그때 그 우연이 운명으로 연결되리라고는 알지 못합니다.

영화는 삶과 죽음이 공존하는 풍경을 보여주며, '아마데우'와 '그레고리우스'의 삶을 연결하여 보여줍니다. 그리하여, 우리는 관객으로서 그들과 함께 대화하게 됩니다.

'아마데우'는 기쁨/ 열망/ 안정의 삶을 추구하였으며 이성적이지만 다소 루즈한 '그레고리우스'는 '아마데우'의 삶이 활력적이고 드라마틱하며 열정적이란 점에 이끌렸습니다. 그렇다면, 우리는 무엇으로 우리의 삶에 이끌릴 것인가요.

'베를린자유대학'의 철학과 교수이자 작가인 '파스칼 메르시어'가 쓴 《리스본행 야간열차》는 철학을 문학으로 바꾼 역작으로 독일에서 200만 부가 출간되었고 (우리나라에선 한양대 사학과를 졸업하고 독일 튀빙엔 대학교에서 고전 문헌학을 수학한 독어 전문 번역가인 전은경이 번역하고 들녘출판사가 출간) 30개국이 출간한 베스트셀러이며, 스토리를 통하여 한 남자의 인생을 바꾼 기적 같은 이야기입니다.
무관심으로 타인과 단절한 채 살아가는 현대인들에게 던지는 매혹적인 문체와 사람들이 엮여 살아가는 인간 군상의 삶을 섬세하고 철학적인 고찰로 돋보이도록 만든 유럽 문학의 현대 고전이라 불립니다.
베스트셀러를 영상으로 옮긴 이 영화는 '황금종려상' 2회 수상에 빛나는 세계적인 거장 '빌 어거스트' 감독의 작품(2013년작).

〈독시아데스가 손을 내밀며 말했다. "아마 별 일 아닐 겁니다. 그리고 이미 말했다시피 그 의사는 최고입니다." 그레고리우스는 병원 출입구에서 독시아데스를 돌아부고 손을 후두 다음 안으로 들어갔다. 그의 등

뒤에서 문이 닫히고 서서히 비가 내리기 시작했다.〉
원작의 소설은 이렇게 마지막을 장식하지만, 영화는 '리스본'의 기차역 플랫폼에서 '베른'으로 출발하려는 기차 앞에서 안경사 '마리아나'와 나눈 대사는 의미심장하며 철학적입니다.

"생각해 보면, '아마데우'와 '스테파니아' 그들 인생에는 활력과 강렬함이 가득했던 것 같아요." "너무 강렬해서 결국 부셔졌쟈나요." "하지만, 충만한 삶이었죠." "내 인생은 뭐죠? 지난 며칠을 제외하고는... " "그런데도 다시 돌아가려 하는군요. 여기 머무시는 건 어때요? 그냥 여기 계시면 안되나요?" 마리아나가 그레고리우스를 붙잡는 듯한 대사와 동시에 엔딩크레딧이 올라가며 포르투갈의 '파두'를 바탕으로 한 '앙떼 포크'의 슬프도록 아름다운 주제음악이 잔잔하게 밀려옵니다.

음악을 들으면서 내가 눈물을 참은 것은 나이 들어감을 감추기 위함일까 그것이 아니라면 부실했던 나의 삶을 외면하려 한 스스로의 만용이었을까요.

만추(晚秋)의 거룩한 식사

11월이 날마다 아름답게 저물면서 가을이 부쩍 무르익더니 겨울의 문턱인 12월이 되었습니다.

하얀 목련을 올려다보면서 새롭게 만난 봄에 감사하던 마음도 그리 오래전 기억이 아닌 것 같은데, 첫눈이 오신 이후로는 금방이라도 눈이 내릴 것만 같은 날들이 이어지고 있습니다.

비가 추적추적 내리는 어둑한 퇴근길, 켜 놓은 라디오에서 흘러나오는 지나간 시절들의 옛노래들은 아련한 감상 속으로 젖어 들게 합니다.

사랑 또한 열망의 반대쪽에 있는 또 다른 그림자와 같은 것이라는 생각을 하다 보면 까닭도 없이 서글퍼집니다. 시간이 흐르면 또다시 과연 어떤 일과 인연들로 올 한 해를 추억하게 될는지요.

날마다 조금씩 바람의 온도가 차가워집니다. 차가워진 바람 속으로 외로움도 찾아옵니다. 영화에는 여러 종류의 외로움이 녹아 들어있습니다. 그 외로움은 현실에서 저만치 떨어져 있거나 스스로외의 투쟁으로 자기를 외부와 단절 또는 물리적으로 멀리 떨어진 곳에 고립되기도 합니다. 그리고, 그 고립된 외로움은 슬픔이거나 고통이거나 변화된 감정을 발생하기도 합니다. 관객은 그 외로움을 자신과 오버랩하여 현재의 자신을 돌이켜보게 되는 동기를 유발합니다.

한 남자가 홀로 대자연에서 살아남는 분투기를 그린 영화 《캐스트 어웨이(Cast Away/ 2000)》는 인간의 고립을 그린 영화 중 단연 두각을 나타냅니다.
《백 투 더 퓨처(Back To The Future/ 1985)》를 만든 스타 감독 '로버트 저메키스'가 감독을 맡았으며, 믿고 봐도 좋은 배우 '톰 행크스'가 원톱으로 문명으로부터 완전히 단절된 현대판 로빈슨 크루소를 연기합니다. 주인공 '놀랜드'가 정신력의 한계와 맞닥뜨리는 힘겨운 투쟁을 보며 우리는 당연하게 여기던 일상에서의 편안함에 안도하게 됩니다.

인간의 고독을 다룬 영화 《캐스트 어웨이(Cast Away/ 2000)》는 대자연에서 이루어진 인간의 생존 투쟁기를 그린 우리들의 초상화라 할 수 있겠습니다.
문명으로 귀환한 며칠 후, '놀랜드'는 자신이 끝까지 챙겼던 소포를 집주인이 부재중이라서 메시지만을 남긴 뒤 돌아섭니다.

돌아서 나온 너른 벌판의 큰길 사거리에서 어디로 갈지를 궁리하고 있는 '놀랜드'의 얼굴을 Close Up하는 것으로 영화는 끝납니다.

그렇게 우리들의 인생에는 여러 갈래의 길이 있습니다. 그 길의 어느 쪽으로 방향을 잡고 나아갈 것인가는 각자에게 달린 거라고 봅니다.

"나이 든 남자가 혼자 밥 먹을 때
울컥, 하고 올라오는 것이 있다
큰 덩치로 분식집 메뉴표를 가리고서
등 돌리고 라면발을 건져 올리고 있는 그에게,
양푼의 식은 밥을 놓고 동생과 눈 흘기며 숟갈 싸움하던
그 어린 것이 올라와, 갑자기 목메게 한 것이다

몸에 한세상 떠 넣어주는
먹는 일의 거룩함이여
이 세상 모든 찬밥에 붙은 더운 목숨이여
이 세상에서 혼자 밥 먹는 자들
풀어진 뒷머리를 보라
파고다 공원 뒤편 순댓집에서
국밥을 숟가락 가득 떠 넣으시는 노인의, 쩍 벌린 입이

나는 어찌 이리 눈물겨운가."

----- 황지우/ 거룩한 식사

이 만추의 계절에 우리가 달려 온 길에 대하여 반추(反芻)해 보고 싶습니다. 슬픔과 아름다움 그리고 고통과 행복과 즐거움이 있었던 우리들의 삶을 말입니다. 그리고, 나에게 주어진 나머지의 삶에서 뛰어난 재능과 능력은 없을지라도 눈치를 보지 않아도 좋은 자유로운 늑대로 살고 싶습니다.

누군가에게 이리저리 내몰리는 잡견이 아니라, 비록 외로울지라도 바람이 불어오면 바람 속을 헤쳐 나아가며 눈비가 오시면 웃으며 눈비를 즐기면서 봄이 오면 고매화 곁에서 노닐기를 즐기는 홀로 우뚝 선 하얀 늑대로 말입니다.

목양자께오서 오시기만을 눈깔 빠지게 기다리는 길들인 양이 아니라 자기만의 길을 스스로 찾아가는 한사코 길들지 않는 광야의 늑대로 살고 싶습니다. 응? 뭔 뒷산 늑대 풀 뜯어먹는 소리를 하냐구? 뭐라구? 그만 졸고, 입가에 침 닦고 가스렌지 불이나 끄라구? 라면이 끓어 쫄아들고 있다구?(12/02/2018).

만추(晚秋)의 시간

 만추(晚秋), 사전으로는 '늦은 가을 무렵'입니다. 만추라 적어보면 연상되는 단어는 쓸쓸함/ 회한/ 그리움/ 이별/ 추억/ 슬픔 따위입니다.

《만추(晚秋)》라는 영화가 있었습니다. 그 원작은 60년대에 지금은 고인이 되신 이만희 감독이 만들었으며 이만희 감독의 페르소나였던 배우 문정숙과 신성일 주연이었습니다. 그리고 40여 년의 세월이 훌쩍 지난 2011년, 현빈과 탕웨이 주연으로 리메이크되었습니다. 수감 된 지 7년 만에 특별 휴가를 나온 여자 애나와 누군가에게 쫓기고 있는 남자 훈의 짧고 강렬한 사랑.

만추(晚秋)라는 단어와 대단히 잘 어울리는 스토리텔링입니다. 천재 감독으로 불렸던 이만희 감독의 《만추》는 3일간의 짧은 휴가를 나온 모범수 여자와 범죄를 저지르고 쫓기는 남자가 만나 사랑을 나눈다는 내용으로 서정적인 영상과 당시로서는 파격적인 기차에서의 정사 장면으로 그 기을의 멜로였던 반면, 김태용 감독의 《만추》는 시애틀에서 만난 동양의 남녀가 유령처럼 관계 속에 파묻힌 채 말을 걸고 우연히 재회하여 애틋한 감정의 교류를 느끼면서 조심스럽게 닫힌 마음을 열고 감정을 확인하는 일련의 과정을 감성이 빛나는 시퀀스와 섬세하고도 뛰어난 연출력으로 보여줍니다.

《만추》와 함께 생각나는 또 하나의 작품으로는 김승옥의 소설 《무진기행(霧津紀行)》이 있습니다.
"읍의 포장된 광장도 거의 텅 비어 있었다. 햇볕이 눈부시게 광장 위에서 끓고 있었고 그 눈 부신 햇살과 정적 속에서 개 두 마리가 혀를 빼물고 교미를 하고 있었다."라는 인상적인 마무리의 《무진기행》은, 생활에서 잠시 벗어 난 어느 인간의 '시간여행'과도 같은 귀향을 통하여 개인의 꿈과 낭만은 용인되지 않는 사회 조직의 한 부분인 현대인의 고독과 비애를 표현하고 있습니다.
《무진기행(霧津紀行)》은 김수용 감독이 《안개》라는 제목으로 훗날 영화화하였습니다.

연이어 떠오르는 영화, 그 이름도 화려한 화양연화(花樣年華)입니다. 화양연화는 '성숙한 여인의 인생에서 가장 아름답고 행복한 시간'을 뜻하며 관객의 흡입력이 뛰어난 한 편의 로맨스 소설을 읽는 듯 소울의 황제 내킹 콜(Nat King Cole)의 노래 〈Quizas Quizas Quizas〉가 잔잔하게 가슴을 녹이는 영화입니다.

홍콩 영화 중 베스트 오브 베스트의 한 편으로 장만옥의 아름다움과 화려한 패션 그리고 양조위의 댄디한 스타일과 연기력이 단연 돋보인 왕가위 감독의 필모그래피 상위에 랭크될 작품입니다.

같은 날 한 아파트로 이사 온 두 남녀, 각자의 배우자가 서로 외도하는 것을 알게 되면서 그로 인한 외로움으로 사랑에 빠지고 자신들의 감정을 절제한 채 망설이다가 결국 사랑을 이루지 못하고 회한과 추억으로 남기고 마는 중년 남녀의 러브스토리입니다.

이루지 못한 사랑이기에 더욱 애절한 것인지도 모르겠습니다. 독특할 만큼 철저한 생략과 절제된 이미지로 연출되어 한국에서는 실패한 영화이지만, 영화에서 장만옥이 입고 출연했던 26벌의 대단히 아름답고 화려한 중국 여자의 전통의상 치파오(旗袍)는 홍콩 개봉 시 경매에 올라간 일화를 갖고 있습니다.

가을은 우수(憂愁)의 계절입니다. 떨어지는 낙엽 한 잎에도 평소와는 다른 눈길이 가며 출근길의 스산함에도 생각에 잠기게 되고 차창에 떨어지는 빗방울도 왠지 예사롭게 보이지 않는 묘한 계절입니다.

눈을 들어 먼 산을 바라보면 문득 어디론가 떠나야 할 이유도 불분명한 일탈심이 샘솟듯 하고 퇴근길 현란한 불빛 바다의 트래픽에서 방향을 꺾어 무작정 동해로 달려 그 바닷가에서 막소주를 마시면서 어둠을 밝힌 채 새벽의 일출을 보고 싶다는 충동심이 불현듯 솟구치기도 합니다. 그것은 혹시, 덧없이 보낸 지나간 시간에 관한 안타까움일까 아니라면 못내 다 이루지 못한 청춘의 회한일까요.

지나간 시간에 대한 회한, 그것은 아주 오래 전 우리가 젊은 날 쏘아 올린 그 화살의 탄착점이 그날의 예상과는 다르거나 미흡한 현실에서 오는 아쉬움/ 미련/ 부끄러움 등이 아니겠나요. 이제는 원로가수가 된 최희준의 노래《길잃은 철새》의 가사처럼 "무슨 사연이 있겠지/ 무슨 까닭이 있겠지/ 돌아가지 않는/ 길 잃은 철새/ 밤은 깊어서/ 낙엽은 쌓이는데/ 밤은 깊어서/ 낙엽은 쌓이는데/ 흐느끼는 소리만/ 흐느끼는 소리만…" 가사만 몇 군데 바꾸어 불러본다면 바로 지금의 내 이야기 맞지 않나 싶습니다.

어제 우리가 사랑하던 자리에
오늘 가을비가 내립니다.

우리가 서로 사랑하는 동안
함께 서서 바라보던 숲에
잎들이 지고 있습니다.
어제 우리가 사랑하고
오늘 낙엽 지는 거리에 남아
그리워하다 바람만이 불겠지요.
바람이 부는 동안
많은 사람들이
서로 사랑하고 헤어져 그리워하며
한 세상을 살다가 가겠지요

----- 도종환/ 가을비

이 만추에는 탄착점을 향한 채찍질을 잠시 거두고 높
푸른 하늘과 노을처럼 붉은 단풍을 바라보며 자신을
점검하기 좋은 시간입니다.
밤새 창가엔 바람과 함께 가을비도 촉촉하게 내렸습
니다. 깊은 밤 빗소리에 문득 깨었던 잠을 다시 이루
는 순간도 좋습니다. 포근한 이부자리와 실내의 기온
이 따뜻하다면 꿀잠 단꿈으로 가는 지름길이겠죠.
그대 짧은 삶에서 몇 컷이나 기억에 남아있습니까, 그
리움으로 회상되는 황홀한 꿈같은 만추의 추억이...

매향(梅香)의 봄에 쓰는 편지

K형!
엊그제가 1월이었는데 이러구러 어느새 봄을 알리는 4월이 되었습니다그려. 봄볕이 화사한 오늘 낮 내가 좋아하는 막 피어난 자목련을 바라보다가 문득 중국 최고의 시선(詩仙)이라 불리는 당(唐) 시절의 시인 이백(李白)이 지은 장진주(將進酒)의 한 대목이 생각납니다.

"그대 보지 못했는가, 황하의 물이 하늘에서 내려오는 것을. 세차게 흘러 바다에 이르면 다시 돌아오지 못한다네. 또 보지 못했는가, 귀한 집에서 거울 보며 백발을 슬퍼하는 것을. 아침에는 푸른 실 같던 머리카락이 저녁이면 눈처럼 하얗다네. 살면서 뜻을 얻으면 즐기기를 다할지니, 금 술잔을 달빛 아래 그냥 두지 마오."

지나간 겨울이 다시는 돌아오지 못하듯이, 바다로 한 번 흘러간 황하의 물이 되돌아오지 못하는 것처럼 우리네 인간의 삶도 한 번 가면 두 번 다시 돌아오지 못하죠. 또한, 귀한 집안에서 태어나 부귀와 권세를 누리는 사람 역시 가는 세월은 어찌할 수 없음입니다.

아침에는 푸른 실(靑絲)같은 검은 머리카락이 저녁에는 흰 눈처럼 백발이 되고 마는 사람의 삶이란 이렇게 허무하도록 지나가 버립니다그려.

가만히 바라보면 인생이 이렇게 허무하게만 느껴져 때로는 슬픔이 밀려오기도 합니다. 그러하니, 그 허무와 슬픔을 술로써나마 달래고 즐기자는 것이 시선 이백의 마음이 아닐는지요.

려말(麗末)의 중신(重臣) 목은(牧隱) 이색(李穡) 선생께서 나이 듦에 대해 짧게 쓴 시 "짧은 머리 듬성듬성 빗을 대기도 미안한데(短髮蕭蕭不滿梳)/ 거울 속 마주한 이 남김없이 하얗구나(鏡中相對白無餘)/ 소년 시절 모습은 모두 사라졌어도(少年風采都消盡)/ 호기는 아직 남은 것을 누가 알겠나(豪氣誰知常未除)"라는 대목은, 부지불식 어찌어찌 세월이 흐르다 보니 호기는 아직 젊은 시절 못지않은데 나이는 이미 많이 들었다는 자탄에 나 또한 공감하는 나이가 되었더이다.

비록 나이는 들었어도 아직 총명이 남아있어서 나머지 삶에 어리석은 아집과 편견이 없기를 간절히 소망하는 마음입니다.

K형!

지난 일요일에는 내가 즐겨보는 TV프로 '복면가왕'에서 연승을 달리는 '음악대장'이라 불리는 가왕이 신중현의 곡 '봄비'를 대단히 애절하게 불러서 내 가슴을 서늘하게 적셔주었습니다.

이처럼 추억의 노래 한 곡에도 즉각 감동한다는 점이 또 나이 들어가는 나의 모습입니다. 그것이 어찌 '봄비' 한 곡뿐이겠는지요.

한 시절 우리가 즐겨 부르고 들었던 '가을비 우산 속' '긴 머리 소녀' '등불' '웨딩케익' '촛불' '하얀 손수건'이 있었고 'Beatles' 'Simon & Garfunkel' 'bob dylan' 'Eagles' 'Queen' 등등이 떠오릅니다.

남들 보기에는 눈빛 반짝이는 청년이었지만, 사실은 하드락에 몰두할 뿐 희망을 포기했던 나의 암울했던 젊은 시절 'black Sabbath' 'Grand Funk Railroad' 'Led Zeppelin'에 심취하며 거의 인생을 포기하고 있었습니다.

청카바와 장발로 콧수염까지 기른 채 히피처럼 지내며, 한국에 있는 미국법령의 지배를 받는 당시의 공식적인 미국영토이며 내국인 출입 금지 지역인 미국군영의 장교클럽과 생맥주 홀/ 여학생들이 바글바글 오던 제과점에서도 DJ를 하며 Pop Music에 몰두했던 저는 나이 들면서 오페라를 좋아하게 되었습니다.

최근 피에트르 마스카니가 작곡한 <카발레리아 루스티카나(Cavalleria Rusticana)>에 몰입되어 '2015년 잘츠부르크 부활절 페스티벌 최고 화제작 공연 실황'으로 구경하였습니다.

그 내용은 대부분 오페라가 주로 다루는 성악적 기교의 우아하고 고급스러운 귀족과 왕실의 이야기가 아닌 서민의 일상을 그린 배반과 복수라는 단순한 막장 치정극이며 제목은 '촌뜨기 기사도'이지만, 그 내용만큼은 21세기 최고 성악가로 추앙받는 독일의 스타 테너 '요나스 카우프만'과 세계적인 지휘자 '크리스티안 틸레만'과의 완벽한 합동 공연으로 아름답고 우아하기로 유명한 아리아와 간주곡이 있었기에 그 막장 치정극은 예술로 승화되었다고 보이며 더욱 놀라운 점은 여러 차례 이어진 커튼콜입니다.

우리나라 무대에서 보이는 왠지 속 보이는 관객들의 박수 세례가 아닌 진실로 마음속에서 우러난 진심 어린 박수갈채가 끝도 없이 이어짐을 보고 그들의 오페라가 국민에게 깊숙이 녹아들어 있음을 절감하였던 것입니다.

K형!
우리나라는 작금 바야흐로 정치의 계절 그 한복판에

자리하고 있습니다. 공자께서는 정치를 "바른 마음과 자세로 세상을 바르게 하는 것"이라고 했습니다. 궁극적으로 백성들이 굶지 않고 마음 편히 생업에 종사하며 행복을 누리는 세상을 구현하는 것이 정치의 목적이라는 것이죠. 서양의 정치사상가 마키아벨리보다 뛰어난 이론과 실천을 결합한 내가 존경하는 경세가(經世家) 정도전의 민본사상은 '군주(君主)보다는 나라를, 나라보다는 민(民)'을 우위에 두었습니다. 백성은 곧 나라의 근본이자, 곧 군주의 하늘이라는 거죠.

통치의 모든 정당성을 오로지 민심에 두었던 것입니다. 그런데 민심의 소재는 예나 지금이나 바로, 경제에 있는 겁니다.

정도전 선생은 "백성은 먹는 것이 하늘이다. 사람이란 의식(衣食)이 족해야 예(禮)를 아는 법이다"라고 말합니다. 선생은 항상 실천이 전제되지 않는 사상은 죽어 있는 것이나 다름없다고 강조하였으며, 자신의 학문을 옛사람의 덕을 밝히고 만민을 새롭게 하는 실학(古人明德新民之實學)이라고 할 정도로 실천궁행(實踐躬行)을 강조하였습니다.

그러므로, 선생은 자신이 속한 당파의 이익보다는 민족과 백성이 처해있는 아픈 현실과 모순을 외면하지 않았으며 비록 이루지는 못했으나 고구려의 고토(古

土) 회복이라는 큰 꿈을 꾸었던 것이 아니었을까요.

동/ 서양의 다양한 종교를 통합하여 하나의 독창적 철학인 '씨알사상'을 만든 함석헌 선생은 "정치란 선악을 판단하는 종교행사가 아닐세. 덜 나쁜 놈을 골라 뽑는 과정이라네. 그래야 '더 나쁜 놈들'이 점차 도태돼, 종국엔 '덜 나쁜 놈'이 좋은 사람으로 바뀌어 갈 것이 아닌가." 그렇습니다. 나쁜 놈보다는 덜 나쁜 놈을 골라 뽑아야 하는데, 안질에 걸린 못난 이놈의 눈에는 저놈이나 이놈이나 그놈이 그놈만 같은 현실이 답답할 따름입니다.

K형!
겨우내 웅크리고 있던 저는 지난 늦은 겨울부터 오늘 오후 이 봄까지 고매화를 비롯한 봄꽃들을 구경하러 남도를 떠돌고 봄의 향취를 만끽하고 돌아와 방금 책상 앞에 앉았습니다.
아직도 시골 간이역의 플랫폼을 서성대며 열차가 도착하기까지의 그 잠시의 망설임 속에서 열차를 기다릴 때의 설레임과 떠나려는 자의 아쉬움이 생생합니다.
목적지를 향하여 출발할 때는 계획과 꿈을 안고 출발하지만, 목적지를 떠나 올 때는 항상 아쉬움과 미련으로 플랫폼을 서성이게 됩니다.

인생과 사랑도 이와 같아서 떠날 때가 점차로 다가오면 아쉬움과 미련이 가슴을 서늘하게 하는 것이 아닐는지요.

"추억이라는 열차에 동전을 넣는다
좌석표에는 몇 가지 이름이 있다
아픔, 미련, 향수, 고독, 가난, 열정, 웃음 추억이라는
이 열차에는 그래서 일등석이 없다
모든 좌석이
희미하게 열려진 풍경들만을
바라보고 있을 뿐… "

----- 한용섭/ 내 가난한 여행

형의 책장 속에 간직된 추억에는 어떤 좌석표들이 도열하고 있는지요. 색이 고운 날실과 씨실로 잘 직조된 아름다운 봄날이 되시옵기를 진실로 바랍니다. 이만 총총.

목마(木馬)의 노래

 국민학교 6학년 여름방학을 며칠 앞둔 어느 날, 방학 숙제를 하고 있었는데 일찍 귀가하신 아버지께서 내 손목을 잡으시고 집을 나선 거다.

아버지와 함께 인사동 골목길을 돌아 얼마를 걷자 이웃 동네 익선동의 어느 집 앞에서 그 집 문을 두드리셨다. 잠시 후, 대학생처럼 보이는 여자가 나와 아버지 앞에 두 손을 모두고 공손히 인사를 하는 거였다.

아버지는 "이미 전달된 이야기대로 아이를 데려왔으니, 오늘부터 잘 부탁드립니다." 하며 나를 건네시고는 정작 나에게는 가타부타 말씀도 없으신 채로 뒤돌아 가셨던 거다.

엉겁결에 영문도 모르는 채 그 아가씨를 따라 일본식 건물의 2층 마루 복도를 따라 어느 방 앞에 도달하자, 아가씨는 나에게 방문을 열고 들어가라고 했다. 방문이 드르르륵 소리를 내며 열리자, 방안에는 내 또래의 고만고만한 여자아이 다섯 명이 커다란 원탁 데이블을 앞에 두고 오르르르 둘러앉아 책을 펼치고 앉아 있었던 거다.

아가씨는 여자아이 두 명에게 지시하여 간격을 벌리게 하곤 나에게 그네들 사이에 끼어 앉으라는 거였다. 그리곤, 오늘부터 여기서 그 여자아이들과 저녁마다 공부한다는 거였다.

이 어처구니가 없는 환경 속에서 나는 어쨌든 그 여자아이들 사이에 앉아 6개월여를 그 대학생 아가씨 집에서 과외공부를 하며 중학교에 입학을 하였다.

자존심 상하게도 나보다 공부를 잘했던 내 좌우의 두 여자아이는 전국 여중 최고인 이화여중에 모두 합격하였다. 나는 본의가 전혀 아님(?)에도 불구하고, 과외를 다닌 그 6개월 남짓 동안 그 여자아이들과 미운 정 고운 정이 들고 말았다.

나하고 집 방향이 가장 가까웠던 제법 예쁘게 생긴 여자아이. 알고 보니 우리 집에서 직선거리로는 100 미터도 안 떨어진 다음 골목에서 살고 있었으며, 그 아이는 유명한 종로 수송 국민학교에서 제법 공부를 잘하는 아이였다.

그 아이는 나를 잘 알고 있었으며, 등잔 밑이 어둡다더니 골목대장이었던 내게 그런 어처구니없는 실수가 있었던 거다.

6학년을 마친 우리 둘은, 그 겨울방학 동안 내내 거의 날마다 만나 종로의 구석구석과 광화문 그리고 명동 여기저기를 구경 다니며 떡볶기와 오뎅/ 호떡과 국화빵을 사 먹으면서 칼바람으로 유명한 매섭게 추웠던 서울의 겨울을 만끽했다.

나중에 알았지만, 양쪽 집안의 아버지들도 이미 우리들의 친분을 알고 있었다. 그 아이의 아버지는 종로2가 화신백화점 옆 큰길가에서 무척 규모 있는 사업을 하고 있었으며 우리 아버지와도 서로 알고 지내는 사이였고 그 과외공부도 그녀 아버지의 주선으로 하게 되었던 거였다.

우리는 때때로 서로의 집으로 찾아가서 함께 공부도 하고 그녀의 방에서 그녀의 피아노 반주와 함께 노래도 부르며 공부를 했다. 밤 9시 전에는 헤어졌으며, 우리 집에서 저녁을 먹고 숙제를 하고 가는 밤에는 내가 그녀의 집까지 데려다주고 오곤 했다.

우리가 만난 계절은 여름이었으며 우리가 계절도 잊고 함께 쏘다닌 것은 추운 겨울이었으니 우리는 아직 색칠되지 않은 어린 목마처럼 겨울의 종로/ 광화문/ 명동을 종일토록 쏘다닌 세상 모르는 철부지라 불러야 마땅하리라.

거리는 온통 얼어붙어 쌩쌩이며 차디찬 바람으로 코

를 얼려놓고 귀를 떼어갈 듯이 아프게 불어댔어도 가슴만은 속 깊이 따뜻한 온기만으로 항상 훈훈했다. 그것은 그녀 또한 언제나 마찬가지였다.

가진 것 없는 우리가 그 겨울방학을 춥지 않게 지낼 수 있었던 것도 나의 뜨거운 손길과 그녀의 따스한 마음이 합쳐져서 주변의 염려 섞인 시선까지도 모두 녹여 내렸기 때문이다.

중학교 2학년 그해 여름, 아버지가 갑자기 돌아가셨다. 노정객의 말로는 비참했으며 집안은 풍비박산이 되었다. 나 역시 밥 먹는 것조차도 어려워졌다.

멘토처럼 추종하며 따르던 아버지의 주검에 따른 충격으로 공황 상태에 가까워진 나는 불면증과 함께 속이 터져나갈 것만 같은 뜨거움과 답답함으로 방안에 앉아 있지 못하고 밖으로 돌아다녀야만 하는 이상한 병에 걸렸다.

모범답안 같았던 나는 교실 맨 뒷줄에 앉는 아이들과 가깝게 지내며, 어려서부터 배워 대학 총장상을 받았던 미술은 때려치우고 밴드부에서 트럼펫을 불었다.

아버지의 주검으로 인하여 "예술은 길고 인생은 짧다."라는 내 인생의 좌우명은, "예술은 길는지 몰라도, 인생은 짧다."라고 퇴색하여 졌던 거다. 방황과 울분으로 중학 2년 동안 시간이 무참하게 흘러갔다.

중학 3학년, 시간이 흐르면서 나도 모르게 환경적으로 경제적으로 격차를 느낀 내가 거리를 두게 되어 우리 둘의 관계는 서먹하게 되었다.

우연처럼 문득문득 만났던 우리는, 내가 남쪽의 낯선 지방으로 떠나는 바람에 그나마 단절되었다.

단절이라고는 하여도, 나는 아주 드물게 골목으로 창이 난 한옥 기와집 그녀의 방 창문 앞에서 그녀가 두드리는 피아노 소리를 들으며 오랫동안 창가 벽에 기대어 떠나지 못했던 시간이 여럿 있었다. 무슨 느낌이었을까, 그녀는 창문을 벌컥 열고 두리번거리곤 했는데 그때마다 나는 깜짝 놀라 골목의 어둠 속으로 숨어 그녀의 갸름하고 눈부신 얼굴을 바라보곤 했다.

그녀는 내게 너무도 아름답고 황홀한 소녀였다. 맑고 하얀 피부와 풍요하면서 부드러운 커다란 눈망울/ 갸름한 턱선으로 이어지는 늘씬한 몸매 그리고 솜사탕처럼 하얗게 터지는 웃음이 그녀를 더욱 돋보이게 하였던 거다.

목 터지도록 피를 토하는 고함으로 불어댔던 트럼펫 소리와 함께 거친 야생마와 같은 나의 청소년기는 그렇게 아물지 못하는 부러진 팔다리의 상처처럼 아픔으로 고통스럽게 지나갔다.

시간이 흐르고 대학 2학년이 되었다. 성난 들개와도 같았던 내 거친 호흡은 이제 조금 잦아들었으며 차가운 눈빛도 차츰 가라앉았다.

나는 모처럼 멀리 떠나 온 예전 우리 동네 인사동 골목을 오랜만에 둘러보고 안국동으로 발걸음을 옮겼다. 저녁 시간이 다가오자 어려서 자주 걸었던 안국동을 걸어 명동까지 걷고 싶었다.

안국동 사거리를 지나 비원 쪽으로 걷고 있었는데, 대여섯 명 여대생 차림의 여자들이 깔깔거리며 곁을 지나고 있었다. 무심하게 스쳐 지나갔는데, 왠지 아는 얼굴이 섞여 있는 것 같은 기분이 들어 때늦게 뒤를 돌아다 보았다. 그러자, 그중 한 명이 아예 뒤로 돌아선 채로 나를 바라보고 있는 것이 아닌가. 나는 실례가 될까 봐 얼른 다시 되돌아 걷던 길을 걸었다. 그러자, 그 여자는 나에게 "잠깐만요!"하며 나를 불러세우고 달려왔다.

가까이 다가온 여자는 놀랍게도 바로 그녀였다. 우리 둘은 화들짝 놀라며 서로의 손을 움켜잡고 가까운 커피숍으로 들어갔다.

아직 여명도 벗어지지 않은 새벽, 우리 둘은 조용히 골목의 여관을 빠져나와 목례를 나누고 밤새 나누었어도 다 못 나눈 많은 이야기를 마음속에 묻은 채 다시 만나겠다는 지키지 않을 약속을 해 주고 그렇게 헤어졌다. 그날 새벽은 바람도 없이 고요한 가운데 눈이 소리 없이 소복소복 추억처럼 내려앉고 있었다.

어느 날 당신과 내가
날과 씨로 만나서
하나의 꿈을 엮을 수만 있다면
우리들의 꿈이 만나
한 폭의 비단이 된다면

나는 기다리리, 추운 길목에서
오랜 침묵과 외로움 끝에
한 슬픔이 다른 슬픔에게 손을 주고
한 그리움이 다른 그리움의
그윽한 눈을 들여다볼 때
어느 겨울인들 우리들의 사랑을 춥게 하리

외롭고 긴 기다림 끝에
어느 날 당신과 내가 만나
하나의 꿈을 엮을 수만 있다면

        --- 한 그리움이 다른 그리움에게 / 정희성

분분한 낙화(落花)의 추억

K형!

무엇에 그리 미련이 많아서 이리도 떠나지 못하는 것일까요. 입춘이 지났음에도 봄소식은 없고 늦은 겨울에 폭설에 대한 소식만 있습니다.

이른 아침 출근길에 만나는 추위와 바람은 아직 겨울이 떠날 마음이 없음을 느끼게 하지만, 남쪽엔 어느새 봄바람으로 설레고 있다고 하는군요.

그 봄의 시작은 '동백꽃'입니다. 남도는 이미 장렬한 낙화로 유명한 '동백'의 그 붉은빛으로 서서히 스며들고 있다는 소식입니다.

예로부터 '동백'은 세 번 꽃을 피운다고 합니다. 나무에서 한 번 피고 떨어져 땅 위에서 한 번 더 피고 바라다보는 사람의 마음속에서 한 번 더 꽃을 피우는 동백꽃.

붉디붉어서 더욱 처연하도록 슬프게 보이는 선명한 진홍빛 꽃. 동백꽃이 진다고 슬퍼할 이유는 딱히 없지만, 맑은 하늘 아래 따사로운 봄볕 속에서 청순한 소녀의 입술처럼 붉은 꽃송이를 만나면 잠시 이유 모를 슬픔이 몰려와도 좋겠습니다.

소박하게 아름다운 '동백꽃'은 바람에 날려 언젠가는 땅 위에 떨어지고 맙니다. 마치도 우리네 인생을 닮았습니다그려.

'동백꽃'은 언제나 한 잎 두 잎 나비처럼 사뿐히 내려 앉는 것이 아니라 꽃송이 채 통째로 문득 땅에 떨어집니다. 가장 아름다울 때 가장 화려하게 떨어지는 그 꽃은 사나이처럼 살다 죽고 싶은 저의 마음을 닮아있습니다.

높은 곳에 피었으나 꽃송이 그대로 땅바닥으로 추락한 꽃은 그 고고함을 잃지 않습니다. 꽃은 지고 말았지만 진정 그 꽃의 넋은 아름답습니다.

K형!

나이 어려서부터 들었던 "헤일 수 없이 수많은 밤을/ 내 가슴 도려내는 아픔에 겨워/ 얼마나 울었던가 동백 아가씨~."로 시작하는 이미자의 히트송인 '동백 아가씨'는 그렇게 슬프고 구성지게 우리들의 마음을 적셨습니다. '동백꽃'은 꽃잎이 크게 벌어지지 않고 수줍은 듯 벌어지다가 덜컥 떨어지고 맙니다.

다 피기도 전에 지는 꽃, 그게 '동백'입니다. 마치 채 피지도 못하고 이름 모를 병으로 죽어야만 했던 사촌 누나의 주검처럼 어쩌면 그래서 더 안타까운 것인지도 모르겠습니다.

여자에게 버림받고
살얼음 낀 선운사 도랑물을
맨발로 건너며
발이 아리는 시린 물에
이 악물고
그까짓 사랑 때문에
그까짓 여자 때문에
다시는 울지 말자
다시는 울지 말자
눈물을 감추다가
동백꽃 붉게 터지는
선운사 뒤 안에 가서
엉엉 울었다.

----- 〈김용택〉/ '선운사' 동백꽃

K형!
돌아서 울음 우는 못나 빠진 저의 모습 그대로 판박
이입니다. 아닌가요? 시인은 그까짓 사랑 때문에 울었
겠나요, 맨발로 건넌 그 못나 빠진 발이 시리고 아려
서 울었을 겁니다.

142

전남 '강진'의 '백련사' 주변에는 '동백'나무 1천 5백여 그루가 장관을 이루며, 충남 '서천'의 '춘장대'에 피는 '동백'도 바다와 어우러져 아름답지만, 전북 '고창'의 '선운사' 대웅전 뒤편의 '동백'숲은 500년 이상 된 아름드리 동백만 모두 3,000여 그루로써 매화가 지고 난 4월부터 꽃봉오리를 터뜨리죠.

안목 있는 사람들에게 알려진 '광양'의 '옥룡사지'에 숲으로 흐드러진 '동백'도 아름답지만, 섬으로는 '거제' '지심도'와 '내도'/ '여수' '오동도'/ '거문도'가 유명합니다.

'선운사'는 가을 단풍이 천하절경이지만, 4월에 피는 '동백꽃'과 '벚꽃'/ '진달래꽃'이 한데 어우러져 흐드러진 장관이 또한 일품입니다.

미당 〈서정주〉 선생은, "선운사 골째기로/ 선운사 동백꽃을 보러 갔더니/ 동백꽃은 아직 일러 피지 않았고/ 막걸리집 여자의/ 육자배기 가락에/ 작년 것만 시방도 남았습디다/ 그것도 목이 쉬어 남았습디다."라고 추억이 서러워 그 사연이 서러워 울고 또 울어도 삭지 않는 목이 쉬도록 불러도 불러도 삭지 않는 붉게 핀 사연의 동백을 노래하고 있습니다.

'해남' '두륜산' '대흥사'의 산자락 수백 년 된 '동백'도 유명하고 '호남의 소금강'으로 불리는 '월출산'은 '동백꽃'과 기암괴석이 절묘하게 어우러져 그 역시 장관입니다.

이 봄, 그 어딘가 '동백꽃' 흐드러진 언덕으로 향하여 아름다운 산하를 즐기시기를 권합니다.

K형!

푸르고 푸르러 짙푸른 잎에서 그토록 붉은 꽃이 맺힐 줄 누가 알았겠나요. 잎은 우리의 산하를 바라보며 컸을 터이고 꽃은 태양을 보고 자랐겠지요. 짧은 여행에 추억은 길더군요.

우리네 삶도 '동백꽃'처럼 소박하지만 진하게 붉고 푸르러 신산한 나그네의 여행길 같은 삶이나마 아름답게 한세상 살다가 갔으면 하는 그런 바람입니다.

꽃이 온다고는 하오나, 아직은 바람이 차갑습니다.

내내 강건하소서...!!

비자나무

'비자나무'라고 불리는 나무가 있습니다. 목재로 쓰기 위함이거나 관상용으로 심는데, 일본 남쪽 섬이 원산지입니다. 식물 중에서 비교적 단단하고 키도 10~25m에 이르지만 온대 지방보다 추운 곳에서는 관목처럼 자랍니다.

잎은 굽은 창 모양이지만 끝이 단단하고 가시처럼 뾰족하며 앞면은 진한 초록색이고 광택이 나며, 씨는 크기가 2㎝이고 일본에서는 씨의 기름을 요리에 사용합니다.

비자나무의 생태계가 가장 좋은 곳은 일본 '규슈'의 산악지방으로 꼽히는데, 이곳은 태평양 연안에 위치하여 강수량이 많고 일조량도 좋기 때문으로 보입니다.

우리나라에서는 제주도 등지에서 자라고 있는데, 대표적인 곳으로는 제주 구좌읍 '평대리'의 '비자나무' 숲이 유명하며 그중에는 800년의 수령을 자랑하는 거목도 있습니다.

전남 '해남'의 고신 〈윤선도〉 선생의 유적지인 '녹우당'

뒤편 소나무 숲길을 걷다 보면 원시림 같은 '비자나무' 숲길을 만나게 됩니다. 또한, 개인적으로 제가 좋아하는 절 전남 '장성'의 '백양사' 뒤편 '약수동 계곡'으로 오르는 도중에도 '비자나무' 숲길을 만나게 되며 전남 고흥군 '포두면'의 '금탑사'를 오르는 길목에서도 '비자나무' 숲길이 기다리고 있습니다.

바둑판 중에서 '비자나무'로 만든 바둑판을 최상품으로 꼽습니다. '비자나무'의 특성으로는 우선 나이테가 균일하고 촘촘하며, 색상은 담황색으로 눈에 피로를 주지 않아 보기에 편안합니다. 나무 특유의 향기도 빼놓을 수 없는데, 곤충과 벌레를 쫓는다는 은은한 향기는 정신을 맑게 해 줍니다. '비자나무'로 만든 바둑판은 바둑알을 놓을 때 맑은소리가 나며, 탄력성과 복원력이 탁월해서 바둑판에 돌을 놓으면 약간 들어가는 느낌이 난다는 겁니다.
반상에 돌을 강하게 때리듯이 놓고 나면 곰보빵 같은 자국이 생기는데 얼마쯤 시간이 지나면 깨끗하게 사라진다고 합니다.

'비자나무' 바둑판이 어떤 이유에서든지 충격을 받아 몸통이 갈라지면, 그 갈라진 면을 깨끗하게 닦고 천으로 감싸 어두운 곳에 몇 년을 놔두면 원목에서 수액이 흘러나와 그 틈을 메우고 결국에는 머리카락과 같은 실선만을 남긴다고 하며 이런 바둑판은 그 희소성으로 인해 훨씬 높은 가격이 형성된다는 것은 '비자나무'의 특성 때문입니다. 또한, 고대 '백제'의 땅이었던 부여 '능산리' 고분군에서 나온 관재의 대부분은 '비자나무'를 사용한 것으로 확인되었는데 아마도 당시 백제와 긴밀하게 지냈던 일본에서 공물로 바쳤던 관재를 사용했을 것이라는 고고학자와 역사학자들의 예상입니다.

바둑판 제작의 장인 중에는 한겨울에도 옷을 입고 줄을 긋다 보면 혹여 먼지라도 들어갈까 염려되어 알몸으로 줄을 그었다는 일화도 전해집니다. 바둑판의 줄긋기 중에서 옻으로 그어진 줄은 바둑판의 색상과 은은하게 어울리면서 수십 년은 족히 그 원형을 유지한다고 합니다.

일본의 전설적인 '비자나무' 명반은 400여 년 전 일본열도 통일의 기초를 쌓은 "울지 않는 두견새는 베어버린다."라는 명언의 풍운아 〈오다 노부나가〉가 만들었다는 '비자나무' 바둑판이 있는데, 바다에 둥둥 떠다니던 '비자나무'를 구한 〈노부나가〉는 이것을 바둑판으로 만들어 사용하다가 '본인방' 가문에 선물로 하사했다고 하며 '본인방가'에 대대로 전해지던 이 바둑판은 어떤 이유에서인지 사라지고 지금은 그 소장자가 확실하지 않다는 소문입니다.

말 없는 '비자나무'는 계절이나 상황에도 변하지 않고 꿋꿋하게 늘 푸른빛 싱싱함을 잃지 않으므로 하여 진리와 정의를 상징하고 열매와 나무를 통하여 약용으로 가구로 변모하여 모든 이들에게 온 몸을 던져 희생 봉사하며 죽어 바둑판이 되어서도 상처의 놀라운 복원력 그리고 맑은 청음으로 그 주검을 통하여 맑고 청아한 자취를 남깁니다.

2017년 한 해를 보내며, 돌아보니 비자나무 바라보기에도 부끄러운 삶입니다.

로마의 정치가였던 마르쿠스 툴리우스 키케로가 인생의 쓴맛 단맛 신맛을 다 본 후 노년의 일갈대로 "나이 들면 육체적 한계를 받아들이고, 몸 아닌 마음의 근육을 길러라!" 하는 조언은 되새김질할만합니다.

다시 또 아쉬운 한 해가 흘러갑니다.

Adieu, 2017년!

선운사를 아시나요

〈선운사〉를 아시나요? 가수 송창식이 노래한 눈물처럼 동백꽃이 뚝뚝 떨어지는 그 〈선운사〉 말입니다.

전북 고창에 있는 아름다운 절입니다. 또한, 세인들이 〈선운사〉는 알아도 그 곁에 있는 '선운산(또는 도솔산)'을 모르는 사람이 많습니다. 왜 '선운산'이 감탄할 만한 절경인지는 올라봐야만 실감할 수 있는 숨겨진 비경을 감춘 산입니다. 게다가, 근처에 도솔암/ 그림 같은 '내원궁'/ 바위에 조성된 대형 '마애불'이 있기에 더욱 신비롭습니다.

우리나라에 단풍이 아름다운 곳이 참으로 많습니다만, 가장 한국적으로 아름다운 곳을 꼽으라면, 저는 단연코 〈선운사〉의 가을을 꼽습니다.

겨울의 동백도 좋지만, 〈선운사〉의 단풍을 보지 않고는 한국의 가을 단풍을 말하지 않아야 하지 않겠냐는 생각입니다. 절정을 맞추는 그 타이밍이 중요합니다만, 그만큼 아름다움이 조금도 손색이 없는 절경입니다.

〈선운사〉에는 그 절까지 이어지는 입구를 따라 길게

늘어진 조그만 하천을 '도솔천'이라 합니다. 항상 냇물이 검게 보이므로 더럽혀진 물이 아니냐는 분들이 많은데, 검게 보이는 이유는 탄닌 성분이 많은 상수리 등의 여러 가지 나뭇잎과 열매가 냇물에 혼입되어 검게 보이는 것일 뿐 물은 맑고 깨끗합니다.

'도솔천'은 7보(七寶)와 광명(光明) 등으로 장엄하게 장식되어 있으며, 십선(十善)과 사홍서원(四弘誓願)을 설하는 음악이 흘러나오기 때문에 천인들은 그 소리를 듣고 자연히 보리심(菩提心)이 우러난다고 합니다.

석가께서도 현세에 태어나기 이전에는 이 '도솔천'에 머물며 수행했다고 전해집니다. '도솔천'에는 다음과 같은 사람들이 태어날 수 있다고 합니다.

끊임없이 정진하여 덕을 많이 쌓은 사람/ 깊은 선정(禪定)을 닦은 사람/ 경전을 독송하는 사람/ 지극한 마음으로 미륵보살을 염불하는 사람/ 계율을 지키며 사홍서원을 잊지 않은 사람/ 널리 복업(福業)을 쌓은 사람/ 죄를 범하고서 미륵보살 앞에 진심으로 참회하는 사람/ 미륵보살의 형상을 만들어 꽃이나 향 등으로 장식하고 예배하는 사람 등입니다. 그러니, 저는 당연히 탈락입니다.

이렇게 모든 사람이 수행할 수 있는 실천 방법을 갖추었기 때문에 이상적인 불국 세계로서 '도솔천'은 크

게 부각하게 된 것입니다. '도솔천'이 있어서 선운사는
더욱 아름답습니다.

선운사 고랑으로
선운사 동백꽃을 보러 갔더니
동백꽃은 아직 일러 피지 않았고
막걸릿집 여자의 육자배기 가락에
작년 것만 시방도 남았습니다.
그것도 목이 쉬어 남았습니다.

----- 서정주 / 선운사 동구

단풍과 꽃은 아름답습니다. 그러나, 지지 못한 채 시들
어 있는 꽃과 단풍은 슬프죠. 꽃에 있어서 지지 못한
채 시들어 매달린 자신의 모습은, 처절한 사투(死鬪)의
삶입니다.
산다는 것의 의미는 이렇듯 고통을 수반하는 이것이
바로 삶의 진실이기도 합니다. 또, 그 삶의 고통 속에
서 우리는 운명의 절대성을 깨닫습니다.
육자배기 가락을 목이 쉬도록 불러야만 살아남을 수
있는 동백의 안타까운 몸부림처럼 처절한 삶의 고통
속에서도 살아남을 수밖에 없는 삶의 이 엄숙한 숙명
적 조건을 누구라고 외면할 수 있겠는지요.

아무것도 바라지 않고
두려워하지 않는 자유

지난 한 해에 이루어 놓은 것이 무어냐고 자탄을 늘어놓으면서 지인들과 소주잔을 비우던 12월이 엊그제 같건만 시간이 흘러 순서대로 온갖 아름다운 꽃들이 다투어 피어나고 전국에서 꽃 축제가 화사하더니 벌써 6월이 코앞이다. 나이가 들수록 세월은 화살같이 달려간다. 그것이 우리들의 인생이다.

〈백범 김구〉의 스승인 '위정척사론(衛正斥邪論)'의 실천자인 유학자 능선(能善) 〈고석노(高錫魯)〉 선생은 제자 〈백범〉에게 이런 가르침을 남겼다는 거다. "가지를 잡고 나무에 오르는 것은 기이하게 여길만한 재주가 아니다. 벼랑에 매달려 있을 때, 잡은 손을 놓는 것이야말로 진정한 대장부이다." 싸나히의 삶이 어떠해야 하는 가를 간담이 서늘하도록 지시하고 있는 거다.

작금(昨今)은, 천하가 조변석개(朝變夕改)로 전광석화

(電光石火)와 같이 변화한다. 가히 난세(亂世)라 할만하지만, 난세라 할지라도 호연지기를 잃지 않고 당당하게 살아야 할 것이다.

경북 '울진'의 '왕피천(王避川)'으로 결심을 했다. 불교철학과 '헨리 데이비드 소로우'의 '월든'으로부터 영향을 받은 나는 애당초 처음 수도권을 떠날 때, 지방 중소도시인 '군산'의 변두리 시골 지역에서 5년을 살아본 후에 정말로 자연 속에서의 삶을 원했던 것이 맞는다면 지리산으로 들어갈 것이며, 살아보니 그것이 아니라 판단되면 수도권으로 귀환하기로 했었다.
이제 5년(해만 떨어지면 완전 산속 별빛만의 숲이며, 낮이면 20분 이내에 다운 타운 환락가로 진입할 수 있는 승과 속이 그리 별반 멀지 않은 타협적인 지역)을 살아보니, 지리산으로까지 들어가기는 좀 그렇지만 수도권으로 다시 돌아가기는 정말 싫었다.

그렇게 우물쭈물하던 어느 날, 우연히 TV에서 방송한 환경 다큐멘터리를 보는데 경북 '울진'의 '왕피천'에 관한 환경과 자연에 대하여 소상히 보여주는 프로를 보고는 "바로, 저기다!"하는 생각이 번개처럼 직관적으로 왔으며 순간 머릿속 깊이 입력되어 있던 "영원할 것 같았던 내 영혼의 고향(?) '지리산'"은 '지지직~!'거리며 내 뇌리에서 지워져 가는 소리가 들릴 지경이었다. 물론, '지리산'이 '왕피천'보다 못하다는 것은 결코 아니다. 다만, 내가 추구하는 자연적 이미지가 '지리산'보다는 '왕피천'에 더 닿아있었다는 거다.

뜬눈으로 밤을 지새운 나는 날이 밝자마자 '군산'의 변두리 촌락에서 '울진'의 '왕피천'으로 그 먼 길을 나는 듯이 쏜살같이 달려갔던 거다. 이후(以後), 머지않은 날 나는 이삿짐을 꾸렸다. 그 이삿짐 중에서 가장 규모가 큰 녀석들은 여러 권의 책과 LP판을 포함한 디스크와 CD를 포함한 테이프 등이었다.
벽면의 책장에 빼곡히 들어찬 녀석들을 바라보면서 나는 자못 착잡한 심정에 빠져들었다. 녀석들은 이 나이까정 오랫동안 나를 지탱해 준 고마운 친구들인 거다.

수단과 목적이 뒤바뀐 채 지향점을 잃고도 그저 명목만이 그럴듯한 사회인으로 살아내기 위하여 도시인의 다람쥐 쳇바퀴 돌듯 단술 몇 방울과 술지게미에 취한 가식적인 삶에서 나에게 인문학적인 취향을 잃지 않도록 하여 주었으며 비정한 선창 같은 현실에서 나의 정신세계에는 늘 푸른 쾌적한 휴양지였던 거다.
그렇게 오랜 시간 부족한 나를 지탱하여 주었으며, 빈

약한 영혼인 나의 정신세계에 올리브유와 자양분을 듬뿍 부어 넣어주었던 것은 여러 가지 음악과 책이었다.

그러나, 나는 "그 오랜 방황 끝에, 마침내 내 이미 강을 건넜거늘 어찌 나룻배에 연연할 것인가?" 하는 말도 아니 되는 돈키호테 찜 쪄 먹을 어처구니없는 과감함과 황당한 자만심으로 인하여 죄 없는 나의 오랜 벗인 책들은 대부분 당시 그 지역의 불교도서관에 기증되고야 말았으며 고딩 때부터 모아왔던 LP부터 괜찮은 디스크들 또한 절친 선배님에게 거침없이 양도되어 졌다.

내가 아꼈던 책 100여 권만이 겨우 나와 함께 '왕피천' 인근인 '불영계곡'으로 떠났던 거다. 박정한 나는 절친들과의 결별에 따른 거창한 이별 의식 따위조차도 없었으며, 소박하게 소주잔을 펼쳐놓고 넋 빠진 인간처럼 고개를 들어 멍히 서책의 제목들을 구구이 짬짬이 바라보았던 것이 내 결별식의 전부였다.

〈이백(李白)〉은 그의 시(詩) '춘야연도리원서(春夜宴桃李園序)'에서 인생의 서글픔을 다음과 같이 읊었다. "天地者萬物之逆旅(천지자만물지역려) 천지는 만물의 여인숙이요 光陰者百代之過客(광음자백대지과객) 시간은 영원한 나그네와 같다. 浮生若夢(부생약몽) 부평초

같은 우리 삶이 꿈과 같으니 爲歡幾何(위환기하) 그 속에서 기쁨을 누린다고 해도 그 얼마나 되겠는가.”
이 시(詩)는 〈이백(李白)〉 선생이 꽃이 만발한 봄날 밤의 정원에서 인생의 유한(有限)함을 뼛속 깊이 깨달으면서 썼다는 것이다.

영화 ‘죽은 시인의 사회’에서 〈키팅〉 선생(로빈 윌리엄스 분)은 학생들에게 “삶을 유지하기 위하여 의학/ 법률/ 경제/ 기술 따위가 필요하지만, 삶의 목적은 시와 아름다움/ 낭만과 사랑이다.”라고 단언한다.
이러구러 세월이 흘러 못난 나에게도 마지막 꿈이 있다면, 그것은 무엇일까. 우리가 공부하는 ‘천자문(千字文)’을 지은 〈주흥사(周興嗣)〉는 ‘양(梁)’ 나라 〈무제(武帝)〉의 명에 따라서 하룻밤 사이에 만들었는데 밤새 노심초사하며 혼신을 바쳐 하루 밤새 백발이 되었다고 하여 백수문(白首文)이라고도 불린다는 것이다.
〈주흥사〉의 천자문은, 평생을 거친 풍마우습(風磨雨濕)에 대한 인고의 세월을 살아내면서 평소에 연마한 솜씨가 마침내 하룻밤 빛을 발하여 어느 날 동양의 사고를 엮는 모든 서책 중 최고의 기본 교본인 ‘천자문(千字文)’으로 태어난 거다.

〈파스칼 메르시어〉는 대단히 아름다운 소설 ‘리스본행

야간열차'에서 "인생을 결정하는 극적인 순간은 종종 놀라울 정도로 사소하다."고 간파하였으며, 영국의 작가 〈루이스 캐럴〉이 '이상한 나라의 앨리스(Alice's Adventures in Wonderland)'의 속편으로 쓴 '거울 나라의 앨리스'의 글에서도 "가능하다는 믿음만이 불가능을 이길 수 있어."라 하였으매, 나 또한 혹시 아는가. 죽음 직전에 〈황순원〉 선생의 '소나기'와 같은 멋진 단편소설 하나를 구워낼지도. 누가 그랬다. 꿈은 클수록 좋다고. 응? 뭐시라? 허. 허황된 꿈은 절대 금. 금물이라꼬?

** 필부가 심산유곡인 '왕피천'에서 축구도 볼 겸 저잣거리로 내려온 것은 2002년이다. 그토록 풍요로운 왕피천/ 불영계곡을 뒤로 내팽개치고 이미 15년 이상 비 맞은 강아지로 저잣거리를 헤매고 돌아다녔지만, '소나기'는커녕 '이슬비'의 '비설거지'도 못한 채 삼가 총총히 나이 들어가는 중이다(05/29/2018).

아버지 전상서

 아버지! 그간 잘 지내고 계시는지요. 새해가 된 지 불과 한 달 만에 낼모레가 곧 설입니다.

아버지도 아시다시피, 제가 어렸을 때는 설 명절이 다가오면 동네 이발소에 가서 머리도 깎아야 하고 목욕탕에도 가서 때를 밀고 와야만 했습니다. 부지런한 사람들은 미리미리 다녀왔지만, 목욕탕에 가기를 싫어했던 저는 차일피일 미룬 끝에 설이 코앞에 닥쳐서야 목욕탕을 찾았던 이유로 자리를 차지하지 못하여 이리 기웃 저리 기웃하는 날도 있었던 겁니다.

기억하시는지요. 아주 오래전, 그날도 설 명절을 앞두고 저희가 살던 종로2가 인사동의 탑골 공원 맞은편 예전 국일관 골목 어딘가에 있던 목욕탕엘 아버지께서 제 손목을 잡으시고 둘이 함께 목욕하러 가서 코흘리개였던 제가 목욕탕의 열기로 온몸이 벌겋게 달아오른 채 아버지의 넓은 등을 조막손으로 열심히 밀어드리자 옆에 계신 연세 지긋하신 분께서 아들이냐고 물으셨으며 아버지께서는 빙긋이 웃으시면서 그러하다고 대답하시곤 그분의 부러워하는 시선을 즐기시던 흐뭇한 표정의 아버지가 오늘은 무척이나 그립습니다.

아버지! 제가 국민학교에 들어가서 처음 맞이한 여름방학, 저는 아버지의 고향인 충북의 괴산으로 동대문에서 출발하는 시외버스 터미널에서 버스에 태워져 털털거리는 시골길을 하루종일 내달려 작은아버지 집으로 탁송(?)되었습니다.

그리고, 그 길고도 짧고 아쉬운 천방지축 개구쟁이의 방학이 끝날 즈음에 아버지는 저를 데리러 오셨는데 시골로 내려간 지 20여 일 만에 따가운 햇볕에 새까맣게 그을려 눈만 반짝거리는 저를 부둥켜 안아주시곤 구정물이 졸졸 흐르는 손목을 꼬옥 잡으시고 마을 어귀에서 작은 집의 마당에 들어설 때까지 얼마나 손을 꽉 잡으셨는지 아파도 아프단 말도 못 하고 뜨거운 손에 끌려갔던 아프고도 가슴 벅차도록 기뻤던 기억이 작금도 생생하기만 합니다.

"아버지는 단 한 번도 아들을 데리고 목욕탕엘 가지 않았다.
여덟 살 무렵까지 나는 할 수 없이
누이들과 함께 어머니 손을 잡고 여탕엘 들어가야 했

다.
누가 물으면 어머니가 미리 일러준 대로
다섯 살이라고 거짓말을 하곤 했는데
언젠가 한번은 입속에 준비해둔 다섯 살 대신
일곱 살이 튀어나와 곤욕을 치르기도 하였다.
나이보다 실하게 여물었구나, 누가 고추를 만지기라도
하면
잔뜩 성이 나서 물속으로 텀벙 뛰어들던 목욕탕
어머니를 따라갈 수 없으리만치 커버린 뒤론
함께 와서 서로 등을 밀어주는 부자들을
은근히 부러운 눈으로 바라보곤 하였다.
그때마다 혼자서 원망했고, 좀 더 철이 들어서는
돈이 무서워서 목욕탕도 가지 않는 걸 거라고
아무렇게나 함부로 비난했던 아버지
등짝에 살이 시커멓게 죽은 지게 자국을 본 건
당신이 쓰러지고 난 뒤의 일이다.
의식을 잃고 쓰러져 병원까지 실려 온 뒤의 일이다.
그렇게 밀어드리고 싶었지만, 부끄러워서 차마
자식에게도 보여줄 수 없었던 등
해 지면 달 지고, 달 지면 해를 지고 걸어온 길 끝
적막하디 적막한 등짝에 낙인처럼 찍혀 지워지지 않
는
지게 자국

아버지는 병원 욕실에 업혀 들어와서야 비로소
자식의 소원 하나를 들어주신 것이었다."

      --- 아버지의 등을 밀며/ 손택수(2003/ 창비)

아버지! 아버지의 갑작스러운 주검으로 아버지께서 고
향 선산에 모셔지던 날, 묏자리의 구덩이를 파고 아버
지의 관이 묏자리 속으로 하관되자 가족들의 만류를
뿌리치고 온몸으로 울음 울며 구덩이 속으로 여러 번
뛰어들어 가족들을 놀라게 하였을 뿐만 아니라 그 자
리에 모인 친인척과 아버지의 친구분들을 더욱 슬픔
에 젖도록 만들었던 것입니다.
멘토였던 아버지를 상실했던 중학교 2학년의 저는 삶
의 의욕과 중심을 잃고 오랫동안 절망과 분노에 빠져
방황하였습니다. 그리고, 그 절망의 끝에서 바다를 만
났던 저는 그 바다에서조차도 해답을 구하지 못한 채
집으로 돌아가는 길을 잃은 한 마리의 늙은 노새처럼
타박타박 시들어가고 있을 따름입니다.

"저 산꼭대기 아버지 무덤
지친 걸음 이제 여기와
홀로 쉬시는 자리
나 오늘 다시 찾아가네

펄럭이는 만장 너머
따라오던 조객들도
먼 길 가던 만가 소리
이제 다시 생각할까
지금은 어디서
어둠만 내려올 뿐
아 석상 하나도 없는
다시 볼 수 없는 분
그 모습 기리러
잔 부으러 나는 가네
잔 부으러 나는 가네."

----- 정태춘/ '사망부가' 3절

추신 : 아버지, 인적도 없이 차가운 바람만이 스쳐 갈 뿐인 텅 빈 산에 홀로 모셔두고 그저 흰 꽃 한 송이 획 던져둔 채 작은 비석조차도 올려드리지 못하는 불효를 용서하지 마십시오.
아버지께서 이승에서 못다 하신 그 말씀 들으며 흐느끼는 두 손으로 잔 올려 드리러 조만간 찾아뵙겠습니다. 뵈옵는 그날까지 내내 안녕하소서(02/02/2019).

안개

 '명진'스님을 처음 만난 것은 아주 오래전 일이었다. 그 출발은 한국 불교의 전래에 대하여, 우리나라 남해 안 지방의 '가락국'에 도착했을 것으로 추정한다니 지루한 업무와 숨 가쁜 도시를 뒤로 하고 그 발자취를 따라 봄 한 철 아름다운 산하를 바람 따라 구름 따라 떠도는 것 또한 나쁘지 않다는 생각으로 길을 떠났던 터이다. 그런 바람으로 '순천'행 고속버스에 올라 터미 널에서 하차하였다.

'순천종합버스터미널'에서 시외버스로 갈아타고 버스가 시내를 벗어나자 안개가 제법 시야를 가렸다. '두타사 (頭陀寺)' 앞에서 버스를 내려 길가에 세워둔 안내판 을 바라보니 약간의 경사진 오르막을 걸어 20여 분을 걸어야 할 것만 같은 거리였다.

지방의 안내판은 믿을만한 것도 못되거니와 걷는 사 람에 따라 다를 것이니 20여 분도 장담할 수 없다는 생각이 들었다. 게다가 경사진 오르막을 걷기 시작한 지 채 5분도 지나지 않아 안개는 안개비로 바뀌어 옷 을 축축하게 적시기 시작하였다. 일주일을 떠돌 요량으로 가득 채워온 오래된 캐리어는 겉의 소재가 모직인지라 속까지 젖지는 않을는지 살짝 우려스러웠다.

'두타사'의 진입로는 전북 '부안' 변산반도 '내소사'의 진입로 못지않은 큰 키의 측백나무와 삼나무가 길 양옆으로 울창하게 도래하고 있어 우중에 깊은 숲속을 걷는 듯한 느낌을 주기에 충분하였다.

숲길을 걸으면서 남녘이라지만 봄임에도 아직은 추위가 남아있는 날씨에 소리 없이 내리는 안개비에 옷은 축축하게 젖어 왔으며, 비에 젖어 보다 무거워진 캐리어를 끌고 비탈길을 오르는 내 모습은 마치 영화《미션》에서 인간 백정이었던 '로드리고'가 과거를 회개하며 본인의 무기까지 집어넣은 본인이 갖고 가기에는 역부족인 엄청난 부피의 짐보따리 망태를 어깨에 짊어진 채 과라니족의 촌락까지 산을 거슬러 오르던 무모한 장면이 떠올라 왠지 모를 헛웃음이 나왔다.

아스팔트 포장길을 다 오르자 넓은 주차장이 나타났으며 손으로 쌓아 올린 길게 펼쳐진 정겨운 계단을 오르자 좁은 도랑 위에 걸쳐진 '추월교(秋月橋)'라고 적힌 붉은 색 난간이 아름다운 작은 다리가 나타났다. 아치형의 다리를 건너자, 다른 세상처럼 아담하지만 오래된 '대웅전'이 올려 보였으며 그 옆에 '종무실'이라고 팻말이 적힌 오래된 한옥이 보였다. 그 한옥 건물의 툇마루에 앉아 안개비에 젖은 옷도 말릴 겸 고즈넉한 풍경에 취한 채 다리를 쉬고 있는데, 건너편 또 다른 한옥에서 나온 젊은 스님이 크고 빠른 걸음으로 마당을 건너 종무실 툇마루에 오르면서 비에 젖은 행색에 커다란 캐리어까지 들고 온 나를 잠시 멈칫거리며 바라보더니 나에게 어떻게 오셨느냐고 물었다. 나는 지나는 길에 잠시 들렸다고 대답하였다.

'종무실' 문을 열고 한 발 들어서던 스님은 나에게 우리 절은 차가 맛있는 절이라면서 차를 마시기에는 좋은 시간이니 들어오셔서 따뜻한 차 한잔하시라며 들어올 것을 권유하였다. 의외의 친절한 제안에 마음이 편해진 나는 등산화를 벗고 실내에 들어섰다.

'종무실'은 오래 묵은 마루로 된 바닥이었으며 생각보다 넓고 편안한 분위기였다. 스님이 권한 자리에 앉자 종무원으로 보이는 젊은 보살이 나에게 엷은 미소를 보이며 마른 수건을 건네주면서 머리와 얼굴을 닦을 것을 권하였는데, 내가 놀란 것은 난로가 피워져 따뜻하고 온화해 보이는 실내의 분위기보다 종무원으로 보이는 보살의 놀라울 만큼 뛰어난 미모 때문이다.

사찰의 종무원들이 주로 입고 생활하는 생활 한복 속에 감추어진 그녀는 얼핏 보아도 적당히 훤칠한 큰 기에 풍부한 가슴과 맞춤하여 마르지도 군살로 둔중

하지도 않은 곡선 그리고 날씬한 허리춤과 곱게 땋아 늘어뜨린 풍성한 긴 흑발의 머리채와 맑고 뽀얀 얼굴에 약간 서구적으로 보일만큼의 뚜렷한 이목구비는 이런 산골 외진 절간에서 만날 수 있는 그런 외모가 전혀 아니었던 거다.

여자의 외모를 보는 안목이라 한 것은, 몇 년 전 친구의 가족 중 한 사람이 경영하는 명동의 미용실을 친구와 함께 자주 드나들면서 마주친 예비 미스코리아 후보 여자들과 여자 연예인들을 보면서 터득한 눈동냥을 일컬음이다.

종무원 그녀는 한마디로 신비한 외모 그 자체였다. 혹시나 외국인이 아닐까 하는 의아심에서 그녀가 말하는 것을 유심히 들어보았지만 틀림없는 정확한 우리말을 하고 있었다.

넓고 눈맛이 편안한 다리 없는 원목 다탁에 마주 앉은 스님은 절간에서 왕왕 만나는 풍경인 차를 준비하고 물을 끓이며 찻잔을 준비하고 헹구는 일련의 과정을 천천히 마련하면서 통상적인 인사를 주고받았다.

삼십 대 중반으로 보이는 젊은 스님의 법명은 '명진'이었으며, 지금 이 절 '두타사'의 '부주지'였다. '명진' 스님은 천천히 쉽고 편하게 말하는 스타일이었으며 목소리는 맑고 살짝 우렁거리는 미성으로 듣기에 좋았다.

큰 키라기보다는 조금 작았지만 훤칠한 키였으며 날렵하고 군살 없는 몸매에 평범한 얼굴이었지만 약간의 길고 뾰족한 인상으로 눈매는 날카로움이 엿보였으며 머리 깎은 두상은 보기에 부담 없는 모습이었다. '부주지'라는 직책에 반하여 시골의 사찰이었던 탓인지 마른 손은 마디가 굵고 거친 편이었다. 따뜻한 차가 몇 잔 거듭되자 나는 하룻밤 머물고 쉬어갈 수 있겠느냐며 물었는데, 스님은 별일 아니라는 듯이 하루가 아니라 며칠이라도 쉬었다 가시라며 편하게 대답하였다. 다만, 새벽에는 예불 전에 '도량석'을 도는 목탁 소리가 들릴지라도 괘념치 말고 주무시라고 하였으나 나는 '새벽예불'에 반드시 참석하고 싶다고 나 자신에게 다짐하듯이 말하고 말았다.

차를 마시고 나서 스님과 함께 '종무실' 방 밖으로 나오자 언제 적 일이냐는 듯이 안개는 걷혀 있었으며 오후 이른 저녁 무렵이 되어있었다.

'명진' 스님은 사찰의 여기저기를 구경시키고 설명하였으며, 길목에서 만난 사무장을 인사시켰다.

'공양간'을 안내하면서 주방일을 도맡아보고 있는 공양주를 인사시키자, 공양주 할머니는 식사는 시간에만 맞추어서 얼마든지 편하게 많이 드시라면서 구수한 자태와 목소리에 미소가 떠올랐다.

스님은 우리 절의 식구라 해봐야 '명진' 스님/ 사무장/ 보살종무원/ 공양주 할머니와 저 위 조그만 '암자'에 주지 스님의 형뻘 되는 스님 한 분이 아침저녁 식사 시간에만 내려왔다 올라간다는 것이었다.

내가 머무를 방은 아주 오래전에 유명한 문인이 머물 며 집필하던 방이라는 말을 하여 새삼스러웠다. 아, 그 리고 내가 머무를 옆방에는 몸이 쇠약하여 휴양차 내 려와 있는 중년의 보살 한 분이 있으니 그런 줄 아시 라고 하였다.

주지 스님은 어디에 계시느냐고 묻자 스님이 말하기 를 주지 스님은 '인도'에 장기간 머물고 있기에 본인 이 사찰의 모든 대소사를 운영하고 있으며 뒷산에 녹 차밭이 있어서 제법 은근히 여러 가지 일이 많으며 보살종무원이 잡무를 열심히 하고 있어서 큰 불편은 없는데 혹시 전산 업무에 대하여 내가 잘 알면 조금 도와줄 수 있느냐며 나에게 물었다.

나는 서울의 규모 있는 중견기업에 근무하는 간부사 원이며 2주간 휴가를 내서 남도 지방을 유람 중임을 밝혔으며, 전산이 전공은 아니지만 잘 안다기보다는 엑셀과 파워포인트 정도는 무난하기에 조금은 도움이 될 수도 있을지 모르니 내일부터 틈나는 대로 살펴봐 드리겠노라고 말하였더니 '명진'스님은 그래만 주시면 돌아가실 때 좋은 녹차를 챙겨 드리겠다며 좋아하였고 계시는 동안에 편안하게 동생처럼 생각하시라면서 즐거워하였다.

종무원에 관한 이야기가 나와서 보살종무원에 대하여 질문을 하려 하였으나 나는 말을 삼켰다.

산간 지방 사찰답게 산나물로 주로 이루어진 저녁 공양을 배불리 맛있게 먹고 당분간 머물게 될 방에 들어와 보니 방바닥이 제법 따뜻하였다. 이불과 요 그리고 베개가 한 채 벽에 기대어져 있었고 휑뎅그렁한 방의 벽에는 긴 장대를 가로질러 양쪽을 하얀색의 나일론 끈으로 묶은 간이 옷걸이가 있었으며 윗목에는 소박한 다기가 준비된 원목 다탁이 놓여있었다.

개켜진 이불에 기대어 잠시 눈을 붙인다는 것이 방바닥이 따뜻하고 장시간의 여독에 긴장이 풀린 이유인지 나도 모르게 곧 잠이 들고 말았다.

얼마를 잤을까, 여자의 흐느끼는 듯한 울음소리에 설핏 놀라 잠이 깨었다. 한지를 바른 방 밖은 침묵으로 어두웠다. 귀를 기울여 집중하니 소리의 진원은 옆방으로 짐작되었다. 그러자, '명진' 스님이 이야기한 몸이 쇠약하여 휴양차 내려왔다는 옆 방 중년의 보살이 떠올랐다.

숨죽인 울음소리는 들렸다가 멈추기를 불규칙적으로 반복하며 간헐적으로 구슬프게 들려왔다. 그 울음소리

속으로 청소년 시절 잠결에 듣던 어머니의 숨죽인 울음소리가 생각났다. 그렇게 우시던 어머니는 다음날에는 반드시 절에 다녀오시곤 하였는데, 학교 수업을 마친 후에 집에 돌아오면 어머니는 어젯밤과는 다르게 언제 그랬냐는 듯이 박꽃 같은 밝은 얼굴로 나를 맞이하여 주셨던 거다.

간헐적으로 들리는 흐느낌을 들으며 어머니를 생각하다가 나는 어느새 잠이 들었다. 나는 구례 '화엄사(華嚴寺)' 옆 샛길로 난 돌담길을 지나 산길을 통하여 굽이굽이 '노고단'을 오르고 있었다. 중턱도 아직 오르지 못하였는데, 안개가 앞을 가렸다.

그 안개의 빈틈을 살펴 산길을 오르는 산행은 힘겨웠다. 잠시 바위 위에 앉아 땀을 닦으며 숨을 고르고 배낭에서 수통을 꺼내 물 한 모금을 마시는 순간, 귓가에 워낭 소리와 함께 소의 울음소리가 들려왔다.

깊은 산속에 왠 소 울음소리인가 싶어 주위를 두리번거리자 물결치는 안개 속에서 희끄무레하게 흰 소가 어렴풋이 눈앞에 보였는데, 그 큰 소는 왕방울 같은 큰 눈을 꿈뻑 거리면서 천천히 나에게 뚜벅뚜벅 다가오는 것이 아닌가.

깜짝 놀란 나는 물 마시던 수통을 움켜쥔 채 뒷걸음으로 물러서다가 앉아 쉬던 바위에서 그만 굴러떨어지며 외마디 비명을 지르고 그 소리에 놀라 나는 잠이 깨고 말았다.

방이 더웠던 탓인지 꿈에서 놀라 잠에서 깨었던 탓인지 온몸이 축축하게 느껴졌다. 수건을 내려 얼굴과 가슴을 닦는데, 새벽 '도량석'을 도는 목탁 소리가 낭랑하게 들려왔다.

잠시 숨을 돌린 나는 옷을 간단하게 갖춰 입고 방을 나서며 법당을 향하였다. 방을 나서면서 나는 옆방의 한지로 바른 그 보살의 방문을 바라보았는데, 그 방은 조용하게 어둠에 잠겨있었다.

처음 들어와 서보는 '두타사'의 '법당' 안의 공기는 서늘하였고 마루로 된 바닥은 조금 삐걱거렸으며 촛불로만 밝혀진 조명은 약간 어둑한 편이었으나 향내가 은은하게 퍼져나갔다.

식솔이 많지는 않으나 그래도 너댓 명은 족히 되건만, '법당'에는 '명진' 스님과 나 오직 둘뿐이었다. "나무 석가모니불 나무 시아본사 석가모니불"로 시작하여 "계향 정향 혜향 해탈향 해탈지견향"으로 이어지며 두 사람만의 '새벽예불'이 시작되었다.

예불이 '헌향진언'의 중반쯤에 이르자 나는 나도 모르게 흐르는 눈물과 울음을 주체하지 못하고 흐느끼면서 예불을 따르고 있었다.

낯선 지방 낯선 '법당' 새로운 시가우 나의 쏟아지는

눈물과 흐느낌 앞에 아무런 거리낌을 주지 못하였다. 그 눈물 속에는 가련한 어머니가 보이고 성당에서 미사 시간에 '성모송'을 노래하는 고등학생인 내가 보이고 방학 때 시골에 내려가면 내 손을 뜨겁게 감싸 쥐고 놓지 못하던 할머니가 떠오르며 6.25 그 엄혹한 시절 '조선노동당' 경기도 지역의 '군당 위원장'을 하였음에도 '이승만' 정권에서 괜찮은 직책을 수행하였던 늙은 아버지가 보이고 유년기의 늙은 유모도 보이고 '법당' 안 인자한 표정으로 미소 짓는 부처님도 보이고 아이스케키를 빨고 서 있는 소년 시절의 나도 보였다.

30여 분의 시간 동안 짧지 않은 세월이 '주마등'처럼 스쳐 지나갔던 거다. '주마등(走馬燈)'처럼 말이다.

아침 공양을 마치고 '종무실'에 들어선 나는 전산 업무를 한 번 검토하자며 스님과 종무원 보살에게 인사를 건넸으며, 전산의 여러 분류를 여기저기 둘러보니 규모 있는 기업의 전산 프로그램으로 업무를 다루던 내가 보기에 사찰의 컴퓨터는 문제가 있어 보였다.

잠시 복잡한 생각이 들었지만, 시간을 두고 차근차근 교정 재분류하며 종무원 보살을 가르쳐 주면 가능하지 않겠나 생각했다.

점심 공양을 하고 절 뒤편 녹차밭을 구경하며 산을

올라 '암자'를 둘러보았는데 '암자'는 단출하였다.

'암자'란 기실 절의 부속 시설로써, 사찰이 갖는 어쩔 수 없는 이러저러한 번거로움을 피하여 오롯한 수행에 집중하고자 임시로 조성한 조그만 '초막'을 말함이지만 겸손함을 표현하기 위하여 '토굴'이라 부르는 자들도 있으나 웬만한 전원주택 시설 못지않은 번듯함을 위장하기 위한 단어로 '토굴'이라 칭하는 자들도 많은 것이 현실이다.

숨을 헐떡이며 산의 정상에 올라앉아 남해와 산하를 오랫동안 멍하니 내려다보며 생각에 빠졌다.

아주 오래전 '중국'의 '동산(910~980)' 선사가 '양주'의 '동산'에 머물고 있을 때이다. 어떤 사람이 찾아와 '동산' 선사에게 질문하였다. "부처가 무엇입니까?" '동산' 선사는 그 질문에 대답하였다. "마삼근(麻三斤)이다."

'양주' 지방의 남자들이 바쳐야 했던 삼 세 근의 세금, 그 부역의 의무는 피할 수 없는 각자 본인의 몫이다. 누구도 대신해줄 수 없는 나만의 마삼근, 오직 내가 부담해야만 할 나만의 마삼근 말이다.

중국 '당'의 시대 강서성 백장현의 백장산 '백장사'에 주석하신 '백장(百丈)' 선사께서 어느 날 설법이 끝난 후 대중이 모두 해산하였으나 한 노인이 남아 돌아가지 않았다

선사께서 이유를 묻자, 노인은 "나는 사람이 아닙니다. 나는 '가섭불(迦葉佛)' 시대에 이 절 주지였는데 어떤 스님이 나에게 '깨달아도 인과에 빠집니까? 안 빠집니까?' 하고 묻기에 내가 '빠지지 않는다.'며 잘못 대답한 업보로 여우 몸을 받았습니다. 스님께서 그 탈을 벗겨 주시기를 부탁드립니다." 선사께서는 노인에게 "그렇다면, 나에게 다시 질문하시오." 하여 노인이 다시 질문하니, 백장이 "인과에 매(昧)이지 않습니다."라고 답하자 노인은 대단히 기뻐하며, "내 이제 여우의 몸을 벗었습니다."하고는 선사에게 절을 올리며 "지금 뒷산에는 여우 한 마리가 죽어 있을 터이니 장사를 좀 지내주십시오." 하며 부탁을 하였다.

'백장' 선사께서는 다음날 대중을 데리고 뒷산에 올라 동굴에서 여우의 사체를 찾아 '다비식'을 지내주었다. 안개 속 같은 인과의 바다에서 언제 어떻게 깨달음의 구름 위를 걷게 되겠는지 삶은 길을 보여주지 않는데 오늘 하루도 그저 속절없이 다시 저물어 가고 있다.

저녁 공양 시간을 놓칠 수도 있기에 깜짝 놀라 서둘러 하산하여 '공양간'에 들어섰다. 이 절은 처사와 보살이 따로 앉아서 식사를 할 수 있도록 반찬이 따로 차려져 있다. 스님들의 음식도 따로 차려져 있다.

스님이라 해봐야 '명진' 스님과 암자의 나이 많은 스

님뿐이지만 말이다. 맞은편에 앉은 사무장과 가볍게 인사를 나누고 식사를 하였다. 마주 앉아 뻘쭘하니 묵묵히 밥을 먹기가 민망하여 사무장에게 산 위에 올랐다 온 이야기를 하였더니 웃는 표정으로 화답을 하며 몇 가지 설명을 더 해 주었다.

공양주는 나이는 들었으되 미인에 속한 얼굴이었다. 처사들보다 나중에 식사 자리에 들어선 '종무실'의 보살은 내게 미소를 지으며 가볍게 목례를 하였으며, 옆방에 들어있다는 중년의 보살도 따라 들어왔다.

식사를 하는 중에 슬며시 살펴보았지만, 종무원 보살은 다시 보아도 역시 뛰어난 미인이었다. 중년의 보살은 환자라는 선입견이 있어서인지 일반인보다 맑고 하얀 귀여움이 있는 얼굴에 무병(巫病)이 있는 듯 눈매에 날카로움도 있는 묘한 인상의 여자였다.

사무장에게 종무원 보살의 이름을 물어보았더니 어차피 곧 알게 된다더니 웃으면서 즉시 답이 돌아왔다. 종무원 보살의 이름은 '혜진(慧眞)'이며, 옆방의 보살은 '목련' 보살이라 하였다.

그날 밤, 심야에 갑자기 아랫배가 싸르르 아파오는 바람에 방으로부터 100여 미터나 떨어진 '해우소(解憂所)'를 종종걸음으로 다녀오는데, 어디선가 여자가 흐느끼는 소리가 들려왔다. 뒷골이 곤두서는 느낌이었지만, 분명 사람이 소리라는 생각이 들어 좌우를 둘러보

앉는데 내 옆방의 '목련' 보살의 방이 아닌 종무실에 딸린 '혜진' 보살의 방이 틀림없었다.

그 방 옆의 툇마루에 조용히 앉아 먼 밤하늘의 달을 바라보고 있자니 '혜진' 보살의 울음은 간헐적으로 흐느끼며 들려왔다. 10여 분을 앉아 있던 나는 소리 없이 일어나 내 방으로 돌아왔다.

다음 날, 저녁 공양을 마치고 눈맛이 시원하도록 주차장 아래가 내려다보이는 곳의 널따란 바위 위에 사무장과 둘이 앉아 저녁이 내려오는 시간의 고즈넉한 산골 풍경을 음미하였으며 배가 부른 탓인지 풍경은 더욱 평화롭게 다가왔다.

'공양간'의 공양주 주무실 방에 장작불을 때는지 희미한 연기와 나무 향이 기분 좋게 전해왔다. 얼마 후, 내 방에 들어와 벽에 기대어 핸드폰을 보고 있었는데 사무장이 방문을 두드렸다.

내가 방바닥을 무릎으로 기어 방문을 열자, 사무장은 나를 보면서 "서울 처사님은 밤에 무슨 할 일이 있으십니까?" "왠걸요, 놀러 온 자가 무슨 할 일이 있겠습니까." "그러시다면, 저희와 시내에서 샤워하고 시내 구경이나 다녀오시죠." 하며 뭔 말인지 어리둥절한 나에게 "가보시면 아십니다."하며 사무장이 웃으면서 일어나 나설 것을 권하였다.

사무장을 따라 계단을 내려가니 '주차장'에 봉고차가 서 있다. 차 안에는 '명진' 스님과 종무원 보살 '혜진'이 이미 앉아 있었으며, 나는 운전을 할 사무장 옆 조수석의 자리에 앉았다. 우리를 태운 사무장은 산길을 달려 '순천' 시내의 어느 깔끔한 '사우나' 건물이 있는 '주차장'에 차를 도착시켰다.

내리라는 눈짓을 보낸 사무장을 따라 하차하였더니 스님과 '혜진' 보살도 함께 하차하였다. '사우나' 건물로 들어선 우리 일행은, 남자들은 남탕으로 '혜진' 보살은 여탕으로 각각 헤어져 들어갔다.

우리 사내 셋은 샤워를 마친 '혜진 보살'을 기다려 서로 벌겋게 상기된 얼굴로 밖에서 만났다. 다시 차를 운전하여 어딘가 모를 근처 번화한 동네의 '주차장'에 차를 대고 우리 일행은 모두 하차하였다.

네온사인 불이 돌아가는 지하 '노래방'의 계단을 내려간 우리는 익숙한 듯한 주인의 안내에 따라 조금 큰 방으로 안내되었다. 이어서 맥주 다섯 병이 제공되었으며 차가운 글라스에 따라진 시원한 네 잔의 맥주는 목욕탕에서 나온 뒤 끝인지라 가볍게 마셔졌다.

사무장이 일어나서 '그 겨울의 찻집'으로 테이프를 끊었으며, '명진' 스님은 '송학사'를 멋진 목소리로 잔잔하면서도 의미 있게 노래하였고 얼떨결에 일어선 나는 'Q'를 불렀다. 미소를 보이며 일어선 '혜진' 보살은

'안개'를 매혹적으로 노래하여 우리 남자 셋은 넋을 놓고 바라보며 들었던 거다.

대충 그러한 순서로 노래를 연속적으로 불렀다. 2시간은 순식간처럼 흘러갔으며 맥주 다섯 병은 골고루 적당하게 배분하여 마셨다. 노래방의 주인이 30여 분을 추가 서비스로 제공하였으며 그 또한 아낌없이 사용되었다.

주차장으로 올라오니 취기와 노래를 부르던 열기 때문인지 밖의 공기가 제법 시원하게 느껴졌다. 별로 취한 것 같지 않은 사무장이 운전하여 '두타사'로 올라왔다.

지방인 탓인지 음주운전에 대한 걱정은 다들 없었다. 경내로 들어선 우리들은 서로 웃음과 함께 각자 자기들만의 방을 향하여 헤어졌다.

누가 방의 불을 땠는지 방바닥은 따뜻하였으며, 자리를 펴고 누우니 노래방 천정에 매달린 반짝거리던 오색 사인 등이 빙글거리며 돌아가는 기분이 들었으나 나도 모르게 서울에 있는 와이프의 얼굴이 떠올랐다. 너무 늦어서 염치가 없었지만, 와이프와의 통화는 유쾌하였다. 와이프는 나의 삼시세끼와 건강을 걱정하여 주었다.

이튿날도 그리고 다음 날도 항상 언제나 빠짐없이 게으름 부리지 않고 나는 '새벽예불'에 참석하였으며, 때때로 사무장과 '혜진' 보살 '목련' 보살이 공양주께서 참석하였다. 새벽 예불을 마치고 내려오면 잠을 한숨 더 청하였고 아침 공양이 끝나면 사찰의 이곳저곳을 빗질하는 사무장을 따라서 함께 천천히 대빗자루로 빗질을 하며 오전의 조용한 경내의 분위기를 즐겼다. 오후에는 격일로 산을 올랐으며 때로는 아랫마을로 내려가 산골 마을 구경을 하였다.

하루는 산에 오르다가 '목련' 보살을 만났다. '목련' 보살은 마치 나를 기다린 듯이 산길의 나무에 의지하여 웃음 띤 얼굴로 나를 내려다보며 서 있었다. '공양간'에서 항상 마주치다 보니 서로 어색한 낯빛은 없었다. 내가 산에 자주 오르시냐며 인사를 건네자 보살은 때때로 올라온다며 내가 산을 잘 탄다면서 운동을 좋아하는 것 같다고 하였다.

이런저런 이야기를 하며 우리 둘은 산을 올랐으며 지나치게 경사진 곳에서는 내가 손을 내밀자 보살은 낯선 사내의 손을 함부로 잡으면 안 된다고 하면서도 내 손을 잡고 위험한 곳은 나에게 의지하였다.

산 정상에 올라 어느 바위에 약간의 곁을 두고 앉아 산 아래를 내려다보며 몇 마디 이야기를 나누었다. 보살은 '혜진' 종무원에게 내 이야기를 들었다면서 본인은 무병(巫病)이 있어서 요양차 머무르고 있다고 스스럼없이 말하였다.

나이는 나보다 세 살이 적었다. 말하는 스타일이나 옷차림새가 대졸 이상 학력의 여유 있는 집안 여자처럼 보였으며 결혼은 하였다는 말도 들려주었다. 그녀는 내가 자신에게 궁금증이 있으리라고 예상하며 말하는 듯 보였다.

아침 공양을 마친 어느 날, 방문을 두드린 사무장이 함께 시장엘 가지 않겠냐고 물었다. 구경삼아 따라가 겠다며 주차장엘 내려가니 차 안에는 '명진' 스님과 '혜진' 보살이 먼저 와있었으며 웃으며 반겨 주었다. 며칠 후에 있을 '천도재'를 위한 장을 본다는 것이었으며 떡과 과일은 전화 한 통으로 모두 배달되므로 소소한 장만 보면 된다는 거였다.

모두 함께 시장 구경 겸 장보기가 대충 끝나자, 스님의 요청으로 짜장면을 먹으러 평소 다니는듯한 중화요리 집으로 들어섰다. 방으로 안내된 우리는 짜장면 4인분을 주문하였으며 주문받으러 들어 온 아주머니에게 한 그릇에는 고기를 넣지 말라고 홀의 사람들이 들으라는 듯이 일부러 큰 소리로 말하였는데 아주머니는 이미 다 알고 있다는 듯이 미소를 지었다.

그날 이후, 우리는 가끔 그 중화요리 집에서 짜장면을 먹었는데 어느 날인가 사무장은 우리 둘이 있을 때 나에게 스님의 그릇에도 우리와 똑같이 돼지고기가 들어가며 단골인 스님이 고기를 넣지 말라는 말도 그 음식점 주인은 말귀를 해석하여 제대로 알아듣고 있는 거라고 말해 주었으며 나도 그러리라고 예상하였다고 응대하였던 거다.

우야든동, 그 집 짜장면은 제법 맛이 있었다. 훗날, 맛없는 짜장면을 만나는 경우에는 때때로 그 집이 떠올랐다. 내가 머무르는 동안, '부처님 오신 날'을 만나게 되어 나는 며칠간을 정신이 쑥 빠지도록 분주하게 지내게 되었다.

'명진' 스님이 원했던 전산 업무는 내가 있는 동안 '혜진' 보살에게 필수 불가결한 사항들이 집중적으로 교정 전수되었다. 그리고 다시 며칠이 지난 후에, '명진' 스님이 창고에서 가져온 중국의 명차 '보이차'를 챙겨들고 나는 '두타사'에서 하산하였다.

서울로 올라와 업무에 복귀한 나는 '두타사'를 까맣게 잊고 밀려있는 업무에 빠져 도돌이표 도시 직장인으로써의 정신없는 세월을 보냈다. 그 바쁜 시간 속에서 나는 여러 번 일본을 오고 갔으며 진급과 업무의 폭증 등으로 정신없는 몇 해를 보내게 되었다.

세월이 흐르고 그러한 어느 해 3월이던가, 종단 본사에 평소 알고 지내던 노스님께서 잘 지내느냐 하시면서 바쁘지 않으면 차 한잔하러 들리라는 말씀이 있어서 며칠 후에 스님을 찾아뵈었다.

스님은 성북동에 스님과 함께 동문수학한 벗인 종단의 원로 스님이 경영하는 사찰이 있는데, 그 사찰이 '납골당'을 크게 신설하면서 사찰의 규모를 키우려고 하니 그 사찰 전체의 프로그램을 일괄 기획하고 진행해 줄 수 있겠느냐며 나의 의사를 타진하셨다.

나는 황송한 하명이오며 제가 직장인인지라 시간도 없을 뿐 아니라 능력도 부족하다며 극구 사양 하였으나 평소 나를 과대평가하셨던지 처사야말로 적임자임을 처사와 함께 시간을 보낸 바 있는 여러 신도와 스님들의 한결같은 추천이라면서 더는 주저하고 사양하지 말아야 하며 부처님께서 하명한 소임을 뿌리치는 죄를 저질러서는 안된다는 우격다짐에 진지하게 검토하겠다며 물러 나왔지만 참으로 내키지 않는 일이었던 거다. 그러나, 며칠 후의 어느 주말에 나는 노스님께서 말씀하신 그 사찰의 주지 스님을 방문하고 말았다.

주지 스님과 차를 나누며 인사를 마치고 스님 몇 분/종무실의 종무원들 그리고 공양간 공양주들과 인사를 나누고 마지막으로 불교용품 매점에 들어서며 주지 스님의 안내로 매점 보살과도 인사를 나누고 매점 보살의 맞은편에 나에게 등을 보이고 서 있던 어느 스님과 돌아서면서 인사를 나누던 나는 깜짝 놀라고 말았다. 놀랍게도 그 스님은 '명진' 스님이었던 거다.

의외로 차분한 표정의 '명진' 스님은 남몰래 잠깐 입의 복판에 둘째 손가락을 세워 입을 다물라는 의사를 표시하며 나에게 합장으로 인사를 대신하였다.

사찰의 종무실장을 포함한 대중들과 인사를 나눈 나는 다음 주부터 시간을 내어 사찰의 업그레이드 행사에 본격 참여할 것임을 주지 스님에게 약속하고 사찰을 물러 나왔다. 이후, 그 절에 들러 여러 가지 사무적인 일을 진행하면서 '명진' 스님과 마주쳐도 합장으로 인사만 나눌 뿐 이 사찰에 무슨 일로 와있느냐 묻지 않았다. 이유는, 왠지 말하지 못할 어떤 사연이 있는 게 아니냐는 짐작이 따랐기 때문이다.

그런 며칠 뒤의 어느 날, 공양간에서 점심 공양 중에 우연히 '명진' 스님이 법당에서 독경 염불을 하며 목탁을 치는 단순 소임으로 월급을 받는 임시직으로 취직하여 일하고 있다는 소리를 듣고 나는 잠시 망연자실에 빠졌다.

예상대로 '명진' 스님에게는 나에게 설명 못 할 어떤 사연이 생겼던 것이 분명하였다. 그러나, 나는 차마 '명진' 스님에게 구체적인 질문을 하지 못한 채 내게 부탁한 과제에 몰두하며 시간을 보냈으며 사찰의 일을 기획하고 점검하면서 오고 갔을 뿐 나는 '명진' 스님을 까맣게 잊고 지냈다.

그러던 어느 날, '납골당' 건축 공사에 투입된 인부들이 오전 새참 먹는 시간에 곁에 걸터앉아 쉬고 있는 내 귀에 어떤 인부가 "있자녀. 여기 목탁 치는 '명진'이라는 중이 경찰들에게 쫓기다가 여기에 숨어있다는 것이 들통나서 도주했다더구만." "아니, 그 스님의 염불 목탁이 우리나라 최고라던데. 그 중이 목탁 치며 염불을 하면 멀쩡한 인간도 눈물이 줄줄 흐를 지경으로 청승 절정으로 전국에 소문이 따르르하다는 거 아녀? 그런 유명한 중이 왜 뭔 죄를 지었다는 거여?" "그러게 말이네, 나도 들은 말인데 남쪽 지방의 어느 절에서 기막힌 일이 있었다등마." "아니, 긍게 그거이 뭔 일이냐니께. 속시원허니 싸게 말해 보드라구." "그니까, 그 '명진'이라는 중이 몰래 서로 좋아지내던 같이 근무하는 여 종무원을 찔러 죽이고 도망을 쳤다나 봐." '에헤이~, 클나겄구만. 그게 아니구.. 본래 '명진'이 있던 절에는 불교가 우리나라에 처음 들어온 자세한 내력이 적힌 오래된 귀한 서책이 있으며 또 그때 인도에서 함께 갖고 온 '반가사유상' 못지않은 보물에 버금가는 대단히 아름다운 조그만 금불상이 있는데 그걸 훔치려고 강도들이 심야에 몰래 들이닥쳤다가 '명진'이 가로막고 순간적으로 여 종무원이 앞에 뛰어들어 강도가 엉겹결에 휘두른 칼에 보살이 찔려 죽었는데, 그 순간을 목격한 절에 머무르는 어떤 여자가 도망친 강도는 보지도 못한 채 '명진'이 여자를 찔러 죽였다고 오해하여 경찰에 신고하는 바람에 부지불식간에 스님이 야반도주를 하였다는구만." "아니 글타문, '명진' 스님이 내가 죽인 것이 아니라 강도들이 그랬노라고 자초지종을 이야기하면 될 것인디 우째 도망을 쳤다는 것이여?" "맞는 말이지. 그런데, 그 죽은 여종무원이 대단한 미인이고 사실은 그 둘이 어려서부터 이웃에 살던 잘 아는 오빠 동생 하던 사이라네. 그 보살이 어려서부터 워낙 그 '명진'을 사모하여 중이 된 절까정 쫓아다니문서 스님의 시중을 들며 종무원 일을 했다는 거여. 그런데 또 거기 안타까운 사연이 있더구만. 죽은 보살의 손가락에는 금반지가 하나 끼워져 있는데, 반지의 그 안쪽에는 '원유 LUV 미숙'이라고 글자가 새겨져 있었다는구만. '원유'는 '명진' 스님의 세속 이름이고 '미숙'은 그 종무 보살의 세속 이름이라는 거지." "아니, 그걸 누가 아남? 그거는 누가 지어낸 이야기 아녀?" "저런 인간이 꼭 있다니께~. 그게 아니고, 그 절의 '공양간'에서 일하던 공양주 할매가 사실은 그 종무보살의 에미였다지 뭐여. 아무래도 그 엄마가 이런저런 내막을 잘 알지않겄남." "그럼 새칠로 말혀서, 장모가 사위와 딸의 밥을 해먹이고 있었단 말이나 마찬가지구마이." '글치, 그러나 그 둘이 피

차 미혼이니께 장모까지는 아니라고 봐야겠지."　"내가 볼 적에는, '명진' 스님이 스스로 자기 때문에 자기를 사랑한 여자가 죽었다는 그 충격으로 스님이 자수를 못 하지만 조만간 자수할 것이라고 보네. 그것 역시 불교의 순리 아니겄남."

내가 그날 할 일을 마치고 북악스카이웨이 길을 굽이 굽이 돌아 운전하며 우리 집 아파트로 돌아오는 동안, 차 안의 라디오에서 "나 홀로 걸어가는~ 안개만이 자욱한 이 거리~ 안개 속에 외로이~ 하염없이 나는 간다~ 바람이여 안개를 걷어가다오~ 안개 속에 눈을 떠라~ 눈물을 감추어라~."는 노래가 진공 속에서 들려오는 흐느낌처럼 흘러나오고 있었다.

** '안개'는, 대기 중의 수증기가 허공에 뜬 작은 물방울이 응결한 현상이며 액체이다. 안개로 인하여 시야 확보가 잘 안 되므로 사물과 실체가 제대로 보이지 않는다.
같은 물방울이지만, 눈앞에 잘 안 보이면 '안개'라 말하며 높은 곳에 머물러서 잘 보이면 '구름'이라 이름한다. 끝(10/22/2022).

야만(野蠻)의 시대에 보내는 편지

"어린아이가 마루에서 우유가 든 병을 곁에 놓아둔 채로 깜빡 깊은 잠이 들었습니다. 그런데, 작은 생쥐 한 마리가 나타나서 그 우유를 먹어 버렸습니다. 아이가 잠에서 깨어나자 우유병이 비어 있는 것을 보고는 실망으로 울고 말았습니다.

그 울음을 듣고 난처해진 생쥐는 양에게로 달려가 젖을 좀 달라고 하였습니다. 그러나, 양은 자신의 젖이 말라서 우유를 줄 수 없다고 하였습니다. 신선한 풀을 먹지 못했기 때문이죠.

생쥐는 다시 들판으로 뛰어나갔습니다. 그러나 들판에는 물 부족으로 신선한 풀이 없었습니다. 생쥐는 우물로 뛰어갔습니다. 아름답고 튼튼했던 우물은 이젠 허물어져 바닥에도 물이 없었습니다.

생쥐는 석수장이에게 달려가 우물을 고쳐달라고 졸랐습니다. 하지만, 그 석수장이는 적당히 알맞은 돌을 갖고 있지 못했습니다.

생각다 못한 생쥐는 산(山)으로 달려갔습니다. 산은 생쥐의 말을 외면하였습니다. 나무가 모두 사라진 산은 이미 민둥산이었기 때문입니다.

생쥐는 산에 부탁하였습니다. 지금 산이 돌을 내주면, 나중에 아이가 자라 어른이 되어 산에 벚나무도 심고 소나무도 심을 거라고 말입니다.

산은 그 말을 듣고 마침내 돌을 생쥐에게 주었습니다. 그런 결과로, 아이는 우유를 양껏 풍족하게 먹을 수 있게 되었습니다. 그리고 먼 훗날 아이가 자라 어른이 되었을 때, 아이는 산에 나무를 많이 심었습니다.

시간이 흐르고, 산이나 들판에서 흙이 씻겨 내려가는 일이 없게 되자 땅은 기름지게 되었습니다.”

이 동화를 쓴 이탈리아의 《안토니오 그람시》는, ‘무솔리니’의 파시스트들이 정권을 잡자 막시즘 혁명가라는 이유로 1926년 35세의 젊은 나이에 체포되어 죽을 때까지 10년간을 감옥에서 보냈다.

위대한 혁명가 《그람시》는 가족에게 보낸 옥중 편지에서 아직 만나보지 못한 나이 어린 둘째 아들에게 자신의 고향 마을 ‘사르데냐’에 대해 들려주고자 이런 아름다운 한 편의 동화를 적어 보냈다.

이 동화는 혁명의 꿈은 사라지고 가족과 동지들도 모두 흩어지고 몸은 병들어가던 극도의 공포와 절망적인 상황 속에서 쓴 것이라고는 도저히 믿을 수 없을 만큼 아름답게 희망을 이야기하고 있다. 즉, 다른 존재의 고통과 슬픔이 덜어지지 않고는 나의 운명(運命)도 결코 나아질 수 없음을 뛰어난 시적 상상력(詩的 想像力)을 통하여 아름답도록 설명해 주고 있다.

우리의 동학 혁명(東學革命)/ 동학 농민 전쟁(東學農民戰爭)은 1894년 동학의 지도자들과 동학교도 및 농민들에 의해 일어난 민중(民衆)의 무장봉기이다.

조선의 양반과 관리들의 탐학과 부패/ 사회 혼란에 대한 불만이 쌓이다가, 1882년(고종 19년) 전라도 고부군에 부임 된 '조병갑'의 비리와 부패가 도화선이 되어 일어났다.

부패 척결과 내정 개혁, 그리고 동학 교조 신원 등의 기치로 일어선 동학 농민군의 혁명적 거사를 진압하기 위해 민씨 정권에서는 청나라군과 일본군을 번갈아 끌어들여 농민 운동 진압 이후 결국, 청일전쟁의 직접적인 원인 제공이 되었던 거다.

지금도 더러 고창이나 정읍 변방의 들판에서 전투가 벌어지고 피 흘리며 산화한 그 역사의 현장 근처를 자동차로 지나게 되면, 당장 그 자리에서 함성과 함께 전투가 벌어지며 농민군과 정부군이 피를 뿌리는 듯한 환상이 떠올라 뭉클한 가슴 쓰라림을 맛보게 된다.

오래전에 선조들의 피와 눈물로 씻은 이 땅의 산하, 우리가 지금 그분들의 뜻대로 제대로 조국을 가꾸면서 살아내고 있는지를 생각하면 차마 고개를 들기 어렵다. 그 모두가 어리석고 못난 나를 포함한 우리들의 탓이라 더욱 부끄럽다.

최근 세계적으로 국가들의 선거 결과가 평범함과 상식을 넘어서고 있는데, 업적이나 사회적 평판을 한 번에 뒤집고 승자로 올라선 꼴통들이 대중의 마음을 빼앗으며 비상식적인 정치인들이 당선되는 것을 볼 수 있다.

우리나라의 각종 정보매체를 들여다보면, 우리 사회의 상류층과 정치/ 검찰/ 경제계 인사들이 대체로 거의 타락해 있음을 알 수 있다. 그 도덕적 타락은 '위장전입'과 '병역기피' 정도는 필수이며 '탈세'는 선택이라 해도 과언이 아닐 지경이다.

'공자(孔子)'의 제자인 '자로(子路)'가 "재상(宰相)이 되면 가장 먼저 해야 할 일이 무엇입니까?"라고 스승에게 묻자, '공자' 가라사대 "정명야(正名也)"라고 설(說)했다.

정명(正名)이란 명(名)과 실(實)이 일치(一致)하는 것이다. 그러나, 이 땅에서 명과 실을 일치시키는 작업은 우리의 근현대사에서 아주 드물게 실행되었으며 근래에는 찾아보기 힘들다.

공정과 평등을 부르짖는 지금 우리 시대 권력자들의 행보에는 공정이나 평등 그리고 소통과는 엄청난 거리가 있음이다.

정의에 목마른 민중(民衆)의 갈증(渴症)이 머지않은 장래에 폭발할 것이라는 예측은 자명한 일인 거다.

권력자와 부자들이 주고받은 고가의 선물은 그 자체로써 이미 불법(不法)이다. 그리고, 그 불법에 불평등의 요인은 분명코 존재한다.

정의(正義)는 법을 만들고 지키는 것만으로 완성되는 것이 결코 아니다.

정의는 필수 불가결의 조건으로 지도자들의 치열한 자기 절제와 일반 구성원에 대한 양보의 미덕으로만이 지켜질 수 있는 것이다.

대중(大衆)이 분노할 수밖에 없는 이 야만(野蠻)의 세상에서 우리가 다시 '정의(正義)'를 되찾는다면, 그것은 분명코 《안토니오 그람시》가 이야기한 '상식적인 신념(信念)'으로 무장된 일부의 정치인과 관리 그리고 용기 있는 민초(民草)의 부단한 노력 덕분일 것이다.

** 비 온 뒤의 저녁노을을 바라보며, 강화도의 '목비고개'에서(04/25/2005).

어머니의 순례길

 이미 지나간 오래전 1954년에 제작된 '페데리코 펠리니(Federico Fellini)'의 영화 《길(La Strada)》에서, 따뜻한 영혼의 소유자였던 '젤소미나(줄리에따 마씨나 분)'의 부재를 통해 알 수 없는 죄의식에 사로잡히며 절실한 고독함을 느끼게 된 '잠파노(안소니 퀸 분)'에게 '젤소미나'는 구원의 존재였다.
'젤소미나'와 '잠파노'의 사랑을 통하여, 세상 모든 어머니의 무한한 사랑과 이기심 가득한 자식들의 이중성도 깨닫게 한다.

베니스 영화제 그랑프리와 뉴욕 비평가협회 및 아카데미 최우수 외국어영화상을 포함해 많은 국제영화제에서 수상하였으며, '펠리니'의 대표작이며 최고의 영화 가운데 하나로 손색이 없다. 영화는 볼 때마다 새로운 통찰력과 영감을 불러일으키는 시대를 뛰어넘는 대단한 생명력을 보여주고 있다.

13세 흑인 미혼모의 딸로 태어나 길거리에서 성폭행

을 당하고 불량소녀로 감옥에 갔지만, 미국 최고의 여성 보컬이면서 재즈 칸에서 가장 긴 자리를 차지하고 있는 '빌리 할러데이'라는 흑인 여자 가수가 있다.

한 시절 미국인에게, 자살하기 전에 가장 듣고 싶은 노래가 '빌리 할러데이'였으며 자살하고 싶던 사람이 음악을 듣고 자살하지 않게 된 사연이 가장 많은 사람이 '빌리 할러데이'였다.

그녀가 죽기 전에 완전히 맛이 간 목소리로 불렀던 마지막 앨범인 "Lady in Satin"은 어느 음반사에서 조사한 21세기 최고의 명반 1위에 올랐다 한다.

이 명반 중에는 "I'm a fool to want you"가 있다. 젊었을 때의 힘 있고 기름진 노래가 아닌 망가진 목소리의 노래가 나오지만, 그 노래에는 사랑에 대한 관조와 깊이가 최고로 녹아있는 훌륭한 노래이다.

프랑스의 '빌리 할러데이'로 추앙되는 ''에디뜨 삐아프(Edith Piaf)"는 1915년에 태어났다. 서커스 단원이던 아버지와 카페에서 노래했던 어머니는 그녀를 낳자마자 거리에 내버렸다.

숱한 고생으로 6살에 잠시 시력을 잃기도 했었던 그녀는 거리에서 노래 부르며 동냥으로 목숨을 유지했으며, 10살 무렵부터 직업적으로 노래를 하였다.

사랑하기 위해 데어난 가수라는 평을 들을 만큼 아름

다운 가사와 멜로디로 세계인의 감성을 자극했으며, 작곡가이자 친구였던 '찰스 드몽(Charles Dumont)'의 곡 "난 후회하지 않아요(Non, Je Ne Regrette Rien)", 그녀의 자작곡 "장미 빛 인생(La Vie En Rose)"으로 대성공을 거두면서 샹송계의 대모로서 이름을 후세에 널리 각인시켰다.

"난 후회하지 않아요(Non, Je Ne Regrette Rien)"는 '크리스토퍼 놀란(Christopher Nolan)'감독의 영화《인셉션(Inception)》에서 주제곡으로 채용되어 장면의 흐름을 긴장감 가득 표현되기도 하였다.

그녀의 파란 많은 삶은 '장미빛인생'이라기보다는 후회하지 않는 사랑과 인생으로서 아름다움을 노래로 직접 보여주는 것이다.

1년여에 걸쳐 2,500km에 달하는 거리를 오체투지(五體投地)로 삼보일배하며 순례를 떠나는 사람들의 대장정을 담은 영화에 중국의 6세대 감독인 '장양(張楊)'의 작품《영혼의 순례길(Paths of the Soul)》이 있다. 조그만 티베트 마을의 '니이마'는 티베트인들이 성스러운 산으로 숭배하는 '캉린포체'산과 '라사'로 순례를 떠나는 것이 평생의 꿈이다.

해발 6,714m의 '캉린포체'산은 종교적으로 신성한 산이며 지금까지 아무도 등정하지 않은 처녀봉(処女峰)

이다.

산 자체만으로도 어마어마하며 게다가 그 신비함으로 벅참이 느껴지는 '캉린포체'산은 세계적으로 공인된 신산(神山)/ 신령산(神靈之山)으로 인도교(印度敎)/ 티베트 전승불교/ 티베트 원생종교인 본교(本敎)/ 고기나교(古耆那敎)에 의해 세계의 중심으로 인정받고 있다.

그 순례길에는 가족과 함께 이웃 주민까지 11명이 길을 나서는데 노인에서 어린 소녀까지 다양하게 구성되었다. 그들은 순례길 도중에 여러 가지 힘겨운 난관에 봉착하지만, 꿋꿋이 전진하며 고난 끝에 그들의 몸과 마음은 차차로 정화되어 간다.

'장양' 감독은 카메라에 특별한 기교 없이 그들의 고행을 묵묵히 담아냈는데, 그들 모두는 거창한 일을 수행하기보다는 일상생활을 하는 것처럼 묘사하고 있다. 그러함에도 불구하고, 엄청난 대자연 속에서 펼쳐지는 그들의 고난과 고행은 숭고하기 이를 데 없다.

세상에는 수많은 길이 있다. '제주'에는 '올레길'이 있으며 '지리산'에도 '둘레길'이 있고 멀리 '산띠아고'에도 길이 있다. 또한, 우리가 걷고 만든 숱한 골목길과 오솔길도 있다.

존 버니언'의 책《천로역정》은 순례자가 걷는 길이다. 《천로역정》은 기독교 서적으로는 성경(The Bible) 다음으로 많이 번역되고 읽혔으며, 오늘날에도 사람들이 순례길의 필수 동반자로 갖고 가는 책이다.

기독교와 천주교의 순례자는 그 길을 통하여 영혼의 구원과 신의 축복을 얻는다. 티베트인이나 이슬람교도처럼 그들 또한 순례를 통하여 죄를 벗고 마침내 꿈에 그리던 천당으로 가는 것이다.

완벽한 짜임새/ 세밀한 인물 묘사와 꿈의 비유와 상징/ 사람 이름 대신 사용된 우화적인 인물과 됨됨이의 평가/ 문장이 끝나고 나오는 시적 표현은 작가 '존 버니언'이 운문뿐 아니라 산문의 뛰어난 대가였음을 말해 준다.

후배 작가들에게 아이디어와 영감을 주고 그들이 반드시 거쳐야 하는 징검다리 역할을 한 불멸의 고전으로 영혼의 구원과 신의 축복으로 향하는 인간의 길 삶의 길이 역경의 길임을 설파한다.

곰곰이 생각해 보면, 그토록 많은 길을 통하여 살아가는 우리의 인생은 이해하는 것이 아니라 살아내는 것이며 살아가는 방식에 그 정답은 없다.

*** 2017년 7월 13일 동트는 아침에 소천(召天)하신 어머니 '송 베로니카 보배'님의 구원과 영면을 빌며, 삼가 이 글을 바칩니다.

연꽃을 스치는 바람처럼

　욕망의 시선으로는 '연꽃'만의 고즈넉한 연분홍 품격은 이 세상에 어울리지 않아 보였다. 오랫동안 부질없이 헤매다 먼 길을 돌아와 이제 삶을 되돌아볼 나이가 되니 여름의 열기 속에서 누구에게도 내세우지 않는 그 자연스럽고 아름다운 '연꽃'의 품격과 미모를 다시금 보게 된다.

'연꽃'의 미모와 품격을 처음 느껴본 곳은 아무래도 〈부여〉의 〈궁남지(宮南池)〉일 것이다. 오래전 〈궁남지〉는 관광명소가 아닌 그저 평범한 시골의 큰 연못이었다. 다만, 못 한가운데에 왠 정자가 문득 있었을 뿐이었다. 못 한 가운데 〈포룡정〉이라는 정자와 정자까지 연결되는 아름다운 무지개다리가 없었더라면, 버드나무가 못가에 길게 늘어진 그저 단순 평범한 연못이었을 게다.

〈궁남지〉는 〈백제〉의 별궁 연못이었으며, 〈백제〉 '무왕' 사비시대에 조성했을 것으로 알려지며 '무왕'은 〈신라〉에서 온 '선화공주'를 아내로 삼은 '서동'이라는 로맨틱한 이야기의 주인공이 곧 '무왕'이다.

〈궁남지〉가 고향인 〈신라〉를 그리워하는 '선화공주'를 위하여 '무왕'께서 만든 연못이라는 말처럼 누군가의 마음의 평화를 위하여 지어진 대로, 나는 마음이 답답할 때이거나 울적할 때면 훌쩍 수도권을 벗어나 〈천안시〉를 외곽으로 돌아 〈차령〉 고개를 넘어 시골길의 정취를 느끼며 〈공주〉의 〈우금치〉를 지나 꼬불꼬불 차를 달려 〈부여〉의 〈궁남지〉에 도착하여 물가에 앉아 넋을 놓고 망연하게 버드나무와 '연꽃'을 스치는 바람을 느끼다 보면 도시와 직장생활에서 생긴 스트레스가 나도 모르게 스르르 녹아드는 기분이다.

시간이 흘러도 좋고 그 무렵에 서산에 노을을 물들이며 해가 넘어가도 좋다. '연꽃'을 스치는 바람결에 코끝을 스치는 꽃 향이 마냥 싱그럽고 정신은 편안하다. '연꽃'은 꽃말도 '순결'이고 불교와 인연이 깊다. '심청전'에는 아버지를 위하여 바다에 몸을 던졌으나 '용왕'께서 '심청이'를 '연꽃'에 실려 보내 황제를 만나 황후가 되었다는 '심청전'도 '연꽃'을 모티브로 한다.

'연꽃'을 바라보자면 삶의 품격을 깨닫는다. '연꽃'은 진흙밭에서 자라지만 결코 진흙에 물들지 않는다. 그 연잎의 위에는 단 한 방울의 오물도 머무르지 않으며 오직 맑고 깨끗하다. 물방울이 지나간 자리에 어떠한

흔적도 남기지 않는다.

'연꽃'이 피어오르면 물속의 시궁창 냄새는 사라지고 꽃 향이 연못에 가득하다. '연꽃'의 모양은 둥글고 원만하여 보고 있으면 마음이 절로 온화해진다. 활짝 핀 '연꽃'을 보고 있자면 우리 삶도 덧없는 것에 연연하지 말고 자연의 순리대로 사는 것이라 '연꽃'은 말 없는 미소를 보여 준다.

〈궁남지〉말고 또 떠오르는 '연꽃'이 있다. 마흔의 후반에 세상살이에 염증을 느껴 전국을 떠돌 무렵에 경북의 궁벽한 산촌 〈왕피천〉의 풍광에 마음을 빼앗겨 머물렀던 경북 〈울진〉의 금강송면 하원리에 있던 우리 집에서 백구를 앞세우고 마당을 나서 천하 일급수 맑은 여울물의 돌다리를 건너고 눈을 들어 절경을 감상하며 느릿느릿 걸어도 15분이면 도착하였던 주변 경관과 절과 비구니스님들이 빼어나게 아름다운 〈불영사〉의 아담한 연못에 핀 우아하고 청초한 '연꽃'도 잊을 수 없다.

〈울진〉 읍내의 〈연호정〉이 있는 〈연호〉에 핀 '연꽃'도 참으로 아름답다. 읍내에서 문득 만나는 그렇게 크고 아름다운 호수가 있다는 것도 놀랍거니와 여름이면 호수 가득 피어있는 '연꽃'의 군무에는 환호성이 나도 모르게 튀어나온다.

〈연호〉의 '연꽃'은 가득 피어도 그 풍경이 넘치게 부담스럽기보다는 가득 찬 그 풍경이 오히려 자연스러우며 만족스럽게 여유롭고 풍요로워 보인다.

요즘 고속도로 노선 때문에 나라가 온통 시끄러운 〈양평〉〈두물머리〉의 '세미원'은 그 풍광이 빼어나기도 하거니와 한강 물의 오염을 막기 위하여 식재한 정화능력이 뛰어난 '연꽃' 덕분에 여름이면 정원에 연꽃이 가득하다.

'연꽃'은 오래전부터 먹거리로 쓰이기도 했다. 연근과 연잎밥이 대표적이며, 차로도 마시는데 〈무안〉〈백련지〉와 〈부여〉〈궁남지〉의 '백련차'가 빼어나다. '백련차'의 그 따스하고 은은한 향취는 일품이다.

"남자가 갑자기 꽃이 좋아지면 갱년기"라는 말도 있는데, 나는 젊어서부터 꽃을 좋아했으므로 그 말도 사람 나름의 우스개로 들린다.

또 하나, 놓칠 수 없는 '연꽃' 구경이 있다. '단군왕검' 께서 '참성단'을 세우고 하늘에 제사를 올린 〈마니산〉이 있는 〈강화도〉의 번잡한 읍내를 빠져나와 〈선원면〉으로 넘어오는 '대문고개'를 넘어오자면 고개를 넘어오면서 만나게 되는 꽃말도 아름다운 '환희'라 일컫는 '자귀나무'가 수려하게 피어있는 풍경을 감상하면서 천천히 고개를 넘어 삼거리에서 좌로 꺾어 〈선원사〉에 들어서면 만나게 되는 연못에 핀 '연꽃'도 참으로 아름답기 그지없다.

지금은 어딜 가나 대체로 주변 시설이 상업화하여 예전의 그 풍광이 고즈넉하고 자연스러운 아름다움이 사라져 아쉬움이 많기는 하지만, '연꽃'이라는 단어만 입에 올려도 그 은은하고 고즈넉한 아름다움으로 미소가 떠오르고 마음이 한결 평화로워짐을 느끼게 해준다.

맨발로 지나온 진흙밭
뉘라서 알리오만
돌아갈 수 없는 그 길
되짚어 돌아갈래
꼭 다문 입술 사이
참아도 흘러나오는 슬픔
수렁논일지라도
수려한 붉은 빛 미소
시궁창일지언정
밝고 맑은 미소
얼바람 신화 내던지고
때깔 착한 자화상 그려본다.

    -----   연꽃을 스치는 바람처럼(07/12/2023).

연애편지

"승리의 향기로 피워 올리면 흰옷 입은 천사의 나팔소리"라고 백합을 노래한 이해인 수녀님의 시처럼 백합꽃 향기가 싱그러운 계절 6월입니다. 한낮의 열기가 사라지고 정적 속으로 침몰한 어둠을 따뜻한 동그라미로 오려낸 스탠드 불빛 아래에서 나는 당신을 생각하며 떨리는 마음으로 이 편지를 씁니다.

언젠가 사랑에 빠진다면 봄에 사랑을 하고 싶다고 생각했던 그 꿈이 현실처럼 저에게 다가온 것이 아닌가 싶습니다. 신이 허락하여 다시 저에게 사랑이 찾아온다면 이 찬란한 봄날이 다 가기 전에 당신을 사랑하게 하여 주시옵기를 진실로 간청하는 마음입니다.

당신을 처음 만나고 이후 망설임으로 수없이 많은 밤을 뒤척였으나 운명처럼 당신과 마주쳐 인사를 나누고 사랑에 빠질 수 있게 된 것은 참으로 기적과도 같은 일이라고 생각됩니다.

척박하고 신산한 이 세상을 살아가다 문득 만나게 되는 힘든 일이 있더라도 그 위안을 받고 싶은 누군가가 필요할 때 그이가 당신이기를 그리고 또한 나이기를 바라오며 더러는 슬픈 일이 나타나도 그 슬픔에 대하여 함께 어깨를 들썩이며 슬픔을 나눌 상대 또한 당신이기를 바라오며 이 세상을 살아가다 간혹 기쁜 일이 생긴다면 그것을 자랑하고 싶은 누군가도 당신이기를 그리고 또한 나이기를 바라는 간절한 마음입니다.

살아오면서 하늘이 이처럼 눈이 부시게 아름답다는 것도 이제야 알게 되었으며 Beatles의 가사처럼 "Long And Winding Road"라는 우리의 삶, 이 세상이 다하는 그 날까지 서로에게 위안을 주며 서로에게 행복을 주고 서로에게 기쁨과 따뜻함으로 기억되는 사람이 당신이기를 그리고 또한 나이기를 진실한 마음으로 바라오며 당신과 나의 인연이 바로 그러한 인연이기를 바라는 마음이기도 합니다.

존재 자체만으로도 이미 나에게 기쁨을 주는 당신이여, 당신은 삶이 고단한 나에게 있어서 지루한 일상속의 향기로운 감로수이고 더할 수 없는 향기로움이며 여름 한 철 그 무더위에 푸르른 잎으로 그늘을 만들어주는 나무와 같으며 힘든 작업의 일과 속에 쏟아지는 땀을 식혀주는 서늘한 한줄기의 바람이고 오랜 장마 끝에 만나게 되는 내리찍는 햇볕 같은 따사로움입니다.

인생의 길은 멀다고 하지만 나의 해는 이미 서산의 마루에 걸렸으며 길고 긴 겨울이 지나면 봄은 오며 생의 아픔과 시련을 남몰래 몸속에 나이테로 새기며 살아갈 수밖에 없는 칠흑 같은 현실의 어둠 속 창백한 형광등을 소등하고 이루는 잠과 꿈속으로 온화한 미소로 나를 달래주는 당신이 있기에 이제 고독한 나의 존재는 겨울을 인내한 자가 마침내 봄을 만나듯이 외롭지 않습니다.

살면서 더러는 비에도 젖고 세찬 바람에도 시달렸던 지금의 나는 당신을 생각하면 웃음소리가 들리고 당신을 만나면 물소리가 들리는 것이 나만의 환각이 아니듯이 당신의 입술은 매화꽃보다 향기로우며 당신의 눈썹은 반달보다도 청초하고 나의 님 당신의 눈은 세상의 어느 연못보다도 깊고 아름답습니다.

당신은 황금빛 저녁노을을 안고 조용히 흘러가는 강처럼 내 안에 들어와 나의 메마름을 적셔 주는 여신, 그대를 보고 싶다는 생각만으로도 나의 가슴은 그리움과 설레임의 파도로 출렁이는 바다가 될 뿐 아니라 그대가 아플 때라면 내가 제일 먼저 달려가고 행여 그대가 슬픈 일이라도 생긴다면 함께 울어 주며 기쁜 일이 있을 때는 당신보다 더 기뻐해 주고픈 마음일 따름입니다.

우리가 살아가는 동안에 사계절 늘 꽃과 같은 인생길이 주어지겠는가요. 고난도 아픔도 없는 삶은 또 어디 있겠습니까.

살면 살수록 후회가 많은 것이고 어찌 살아야만 잘 사는 것인지 때로는 삶의 빛깔이 태양 볕에 퇴색 되어질 때도 나는, 항상 변하지 않는 사철나무처럼 언제라도 변하지 않는 소나무처럼 다만 푸르른 사랑으로 오직 당신 곁에 묵묵히 자리하고 싶습니다, '영원'이 존재한다고 굳게 믿으면서 말입니다.

그때 갑자기 벨이 요란스럽게 울렸으며, 문을 열자 현관문 앞에는 찌그러진 철가방을 들고 헬멧을 쓴 청년이 우뚝 서 있었다.

그는 시큰 벌떡거리며, "아 쒸~ 아저씨! 짬뽕 한 그릇은 전화로 주문하지 말라고 내가 전에 말씀드렸죠? 글고, 벨을 몇 번이나 누르나요? 아~ 짱나... 거기 얼른 침 닦고요... 잠 덜 깬 눈으로 아랫배 내밀고 서 있지 말고 어서 돈이나 주세요. 바빠 죽겠는데, 소주 한 병 합하여 8천 원입니다. 빨리요~!!"(06/27/2016).

군산의 추억

옛사랑이 그리우면 군산을 간다.
도선장이 있던 군산횟집 앞에 서면
기억 속에서 솟아오르는 추억 하나
통통거리며 금강을 건널 때
선착장에 닿기 전에
조바심으로 입안에서만 맴돌던
사랑한다는 그 말
애타는 내 맘도 모른 채 출렁거리던 바다가
야속하기만 했다.

옛사랑이 그리우면 군산을 간다.
승용차가 없으면 기차라도 타고 가야지
꽃 같은 그대를 그리워하며
홀로 떠돌다 낡은 바람 하나
외롭게 선착장에 서서
목청껏 소리쳐 불러보고
부르다 한참 울다 돌아와도 좋겠다.
울다 뒤돌아 온단들 잊히랴 마는

석 삼 일은 잊을 수 있지 않으랴.

옛사랑이 그리우면 군산을 간다.
그대의 말 없는 말 잊히지 않고
겨울 상류에서 떠내려온 탁류의 유빙
출렁이는 물결 앞에 선 장승의 노래
누구도 듣지 않는 메아리가 된 노래
식어버린 침묵으로 우두커니 남아
나와 그대의 빗겨 간 인연
우리는 그대로건만 세상만이 바뀐 것
변해버린 세월 앞에
아직도 살아남아 있습니다.

----- 군산의 추억(07/19/2023)

이렇게 내달려 어디로 가는가

40대 초반 무렵에 전국의 영업소와 대리점 그리고 해외를 미친 듯이 뛰고 날아다니면서 일하던 시기가 있었습니다. 밤/ 낮 그리고 주말이 없었습니다. 직전 직장인 직원 2만 5천 명의 세계적 조선소인 대우조선에서 한 개의 부품에 불과한 불만 가득한 공돌이 시절에 대한 복수처럼 말입니다. 그렇게 정신없던 어느날 밤, 김포행 마지막 비행기 안에서 곯아떨어져 자다가 비행기가 곧 김포에 내린다는 안내 멘트에 문득 깨어나 창밖 아래 서울의 휘황한 불빛을 내려다보면서 "저렇게 개미굴 같은 미로 속에서 내가 허겁지겁 살고 있구나." 하는 자각이 들면서 결국 산다는 것이 별것이 아닌데 이렇게 허둥지둥 살아도 되는가 하는 생각이 뇌리를 때렸습니다.

그날 밤 마지막 비행기의 어둠 속에서, 개미굴처럼 반짝거리던 도시를 내려다본 그 장면이 오랫동안 내 일상 속에서 문득문득 나를 흔들었습니다. 어쩌면, 정신없이 삶을 쫓아 다녔던 내가 불교와 'Henry D Thoreau' 그리고 'Nikos Kazantzakis'에 빠졌던 것은 우연이 아니란 생각입니다. 나는 이렇게 뛰고 내달려 어디로 가는가.

알다시피, 미국의 작가 'Henry D Thoreau'가 1854년에 출간한 책으로 《월든(Wolden)》이 있습니다. 개인의 자아실현과 자연과의 조화를 주제로 한 위대한 작품입니다.

《월든(Wolden)》의 주인공인 'Henry D Thoreau'는 Massachusetts 주의 월든 호수 근처의 숲속으로 이주하여 사회적 압력과 소비적 가치관에 환멸을 느껴 자연 안에서 단순하고 자유로운 삶을 살기로 결심한 것입니다. 'Thoreau'는 숲에서 집을 짓고 식량을 재배하며 자연의 사이클에 맞추어 생활하면서 사색과 철학적 탐구에 몰두합니다.

자연을 통하여 인생의 진리와 깨달음을 찾으며 자신의 내면과 연결되는 순간을 경험하게 됩니다. 그러한 경험은 'Thoreau'에게 지성과 영적인 성장을 가져다주었으며, 독서와 사색으로 자연과의 교감을 이루는 신비한 체험을 합니다.

'Henry D Thoreau'는 자신과 우리에게 말합니다. "간소하게 간소하게 간소하게 살아라." 'Thoreau'의 선택은 깨어있는 한 개인의 도전이기도 하지만, 자본주의

적 도시 문명과 탐욕에 대한 시민적 저항입니다.

그는 숲으로 들어간 자신의 충동을 다음과 같이 고백하였습니다. "나는 온전히 내 뜻대로 살되 삶의 본질을 직접 마주하고 싶어 숲으로 들어갔다. 삶에서 배워야 할 것이 있다면 과연 내가 터득할 수 있는지 알고 싶었다. 그리고 생을 마감할 때 올바르게 살지 못했다고 후회하고 싶지 않았다. 그래서 숲으로 들어갔다."

달 밝은 밤이면 '월든 호수'에 배를 띄우고 청량하게 플루트를 부는 'Thoreau'는 자연을 매개로 한 자신 내면의 소리에 집중했으며 그의 철학은 세상 흐름과 다르게 반기독교적이었습니다.

'Thoreau'는 교회의 종소리보다는 소의 방울 소리가 훨씬 낫다고 하였으며, 교회가 이 세상에서 가장 추한 건물이라고 공격하였습니다. 《월든》은 사람들이 "자기의 삶에서 자유를 획득해야만 한다."라고 주장합니다. 이를 위하여 자연을 깊이 관찰하고 생활을 간소화하며 자신의 독특함에 주목하라고 주장합니다. 특히, 일상적 체험이 벌어지는 자연과 그 세계를 뛰어넘는 정신세계를 조화시킴으로써 또 다른 세계로 나가는 길을 강조하였으며 스스로 월든 호숫가에서의 묵상적 삶을 통하여 이것이 가능함을 직접 증명하였습니다. 러시아의 '톨스토이'/ 인도의 성인 '마하트마 간디'의 비폭력 운동도 '소로우(Thoreau)'로부터 비롯된 것이며, '마틴 루터 킹' 목사의 흑인 인권운동 또한 그 출발이 'Thoreau'의 시민 불복종(시민 저항/ Civil Disobedience))에서 유래한 것입니다.

'아르투어 쇼펜하우어(Arthur Schopenhauer)'는 다음과 같은 말을 하였습니다. "태어난 이유도 없으며 사는 이유도 없고 죽는 이유도 없는 우리의 삶은 고통으로 가득 차 있다." 쇼펜하우어의 의견에 자못 고개가 끄덕여집니다.

예기치 않았던 어느 순간에 문득 신체적 질병이 찾아올 수 있으며 정신적으로 힘들고 불편했던 수많은 시간을 떠올려 보면, 인생이라는 것 자체가 고통의 바다인데 우리는 희망이라는 꿈에 사로잡혀 삶의 바다를 정처 없이 헤매고 다니다가 어느 날 문득 종말을 맞이하는 어리석은 나그네인지 모르겠다는 생각입니다.

위대한 노벨문학상을 수상한 '조지 버나드 쇼(George Bernard Shaw)'의 묘비명이 생각납니다. "우물쭈물하다가 내 이 꼴 날 줄 알았지."

자신의 원래 목표가 무엇이었는지 기억조차 못 하는 아니 원래 목표가 없었던 사람이 적지 않습니다.

저 또한 중학교 3학년 무렵에, 태어났으니까 어쩔 수

없이 살아갈 수밖에 없다는 삶의 목표 따위는 내동댕이쳤으며 청년기에는 장발에 콧수염 기른 청카바의 히피 차림으로 하드락과 술에 올인하며 살아갔던 사람입니다.

세파 속에서 허둥대다가 어느 날 문득 거울을 보니, "나도 많이 늙었구나!"라는 자탄의 말이 나왔습니다.

아직 아무것도 이루지 못했거늘 흰머리가 늘었고 눈가의 주름도 많습니다. 누구나 꿈을 이루며 살고 싶다고 말은 하지만, 정작 자신의 꿈은 쉽게 떠오르는 것이 출세이거나 명성이거나 돈이거나 자식일 뿐입니다. 과연 그럴까요. 그게 전부입니까.

나이가 들면, 일/ 돈이나 명성/ 자식보다 중요한 것은 건강 그리고 욕심을 버리며 비우는 마음입니다. 누구라도 예외가 없습니다, 어느 날 문득 간다는 거. 오늘 지금 당장 이 시간이 제일 중요합니다. 일과 돈/ 자식에 시간과 노력을 빼앗기는 어리석음을 깨닫고 숲으로 가거나 하고 싶은 미뤄둔 즐거움을 추구하거나 아니라면 여유로운 시선으로 멍~히 나머지 시간을 보냅시다.

미국의 97세의 행복 통계학자이며 경제학 석학이고 시대를 꿰뚫는 혜안을 지닌 사상가인 '리처드 이스털린(Richard A. Easterlin)'이 출간한 《지적 행복론》은

'얼마나 부자가 되어야 행복할까?'에 대한 경제학적 해답입니다.

경제학의 언어로 밝혀낸 행복의 민낯은, 충격적입니다. "소득은 행복과 비례하지 않는다. 소득이 늘어도 더 행복해지지 않는 이유는 '사회적 비교' 때문이다."

노학자가 얻은 결론은, 돈을 벌기 위하여 많은 시간을 쏟지 말아야 하는 이유란 돈으로 얻어진 '행복 가성비'가 노력에 비하여 형편없다는 것입니다.

책에서 그는 통계와 지표에 감춰져 보이지 않는 것들, 손으로 움켜쥘 수 없는 돈으로 셀 수 없는 가치들에 집중할 때 우리가 비로소 사는 동안 느껴보지 못한 여유로운 나머지 인생을 살 수 있다고 말합니다.

가지고 있지 않거나 다 쓰고 죽지도 못할 만큼의 돈을 위하여 일하는 것은, 순전히 바보 같은 짓입니다.

그렇게 뛰고 내달려 어디로 가려고 합니까. 나이 들어서는, 돈을 많이 번다고 하여 행복해지지 않는다는 사실이야말로 이제는 수학적 증명에 가깝습니다.

레바논 출신의 미국 통계학 경영학자 '나심 니콜라스 탈레브(Nassim Nicholas Taleb)'가 설파한 다음의 말은 가슴에 남습니다.

"진정한 성공이란, 경쟁의 쳇바퀴에서 빠져나와 나의 활동을 마음의 평화에 맞추는 것이다."

인생 종 치는 날

 인생 종 치는 날
망설임조차 없이
둥근달 하나 두고 가겠네.
돈이나
그럴싸한 명함 말고
달 하나
달랑 두고 말일세.
애틋하다고 아프다고
다 슬픈 건 아니련만
혹여, 바람이 불거나
눈비가 오시거나
꽃 피어 세상 기쁜 날
그대 술잔 속에
달이 뜬다면
그 술자리에 내가 있음을
즐거워해 주시게나.(11/07/2022)

정취암에 오르다

 담력과 함께 문무 또한 겸비한 '문가학'은 섣달그믐
날에 한 말의 술을 짊어지고 '정취암'을 올랐다. 2경
(하룻밤을 다섯으로 나누었을 때의 두 번째 시간/ 밤
9시~11시 무렵)이 지나고 3경(밤 11시~ 새벽 1시)이
깊어갈 무렵, 초연히 한 여인이 나타나 문밖을 기웃거
렸다.

'문가학'은 차분하고 담대하게 여인에게 안으로 들어올
것을 청한 후에 여인이 자리에 앉자 술잔을 권했다.
술이 바닥날 즈음, 취한 여인이 비스듬히 기대 조는
모습을 바라보니 허리 아래 꼬리가 아홉 달린 구미호
였던 거다.

'문가학'이 준비한 밧줄로 여우의 손과 발을 결박하자,
놀라 깨어난 여우는 살려달라고 애원하였다.

여우는 자기에게 둔갑술 비결이 적힌 책이 있으니 살
려만 주면 그 책을 주겠노라고 제안했다.

그러자, 책을 먼저 확인한 후 사실과 같다면 살려주겠
다고 약속한 '문가학'은 비술이 기록된 책을 읽어 내

려갔다. 아뿔싸, 마지막 한 장을 남겨 두었을 때 슬그머니 결박을 푼 여우가 책을 낚아채어 달아났다.

'문가학'은 기억을 더듬어 둔갑술을 부려보았으나, 둔갑이 온전치 않아 옷고름만은 감출 수 없었다. 그 후, 과거에 급제한 '문가학'이 벼슬을 하면서 둔갑술을 이용해 궁중의 거금을 빼내어 거사 자금으로 쓰다가 발각되어 역모죄로 참수되었다고 전해지고 있는 거다.

'통영 대전 고속도로'를 내달려 지리산 아래 '산청읍'을 동북향으로 빙 둘러 가며 '둔철산' 기슭을 거슬러 올라서면서 굽이굽이 산허리를 돌아 올라서니 오래전에 '정취암' 바위굴에 살았다는 꼬리 아홉 달린 여우에 대한 두려움이 떠오른다.

매년 섣달 그믐밤이면 사람을 홀려서 한 명씩 죽였다던 여우인데, 아직 날짜가 이르다고는 하나 그날은 오늘로부터 채 일주일도 남지 않았음이다.

여우에 대한 두려움 때문인지 굽이굽이 오르는 산의 높이 때문인지 나도 모르게 똥꼬가 간질거린다.

'정취암'에 머물던 스님들은 섣달그믐날만 되면 인근 마을로 피신을 해야 하였으며 보다 못한 '문가학'이라는 선비가 여우를 잡겠노라고 나섰다는 거다. 허지만, 그 시절 선비 '문가학'께선 놓치고 말았지만 이후 누군가의 총포나 덫에 잡혔을 터이니 잡을 구미호도 이미 없거늘 나는 오늘 왜 '정취암'을 오르는가.

'정취암(淨趣庵)'은 꼬리 아홉 달린 여우의 전설 못지
않게 그 이름이 아름다운 곳이다. '의상대사'께서 창건
하였다 전해지며 '정취관음보살'을 본존불로 봉안하고
있는 한국 유일의 사찰로 여우와 연관된 전설은 '문가
학'이라는 실존 인물 그리고 국가 개혁에 대한 의지가
강했던 '공민왕'의 역사적 사실과 맞물려 사실성 강한
설화로 전해온다.
절벽에 크고 작은 바위를 차곡차곡 쌓아 올려 축대를
만들고 각각의 건물을 지었으므로 멀찍이서 보면 아
슬아슬할 지경으로 위태로운 모습이지만, 법당 마당에
들어서면 세상이 모두 내 품 안의 것인 양 한눈에 들
어온다.

구례 오산의 '사성암'에 오르면 한눈에 항아리 안에
든 것처럼 세상이 내려다보이며, 오대산의 '구룡령' 정
상을 오르면 거칠고 웅혼한 높은 산들이 열병하듯이
한 눈에 들어온다.
광주 무등산의 '규봉암'에 올라 남쪽을 내려다보면 화
순군과 적벽으로 더 유명한 '동복호'도 내려다보이고
그 멀리 남도 천하가 한눈에 굽어 보이며, '정취암'에
오르면 켜커이 첩첩이 내 품 안에 천하가 한눈에 들

어오는 것이 장관이다.

'응진전' 옆의 산죽 숲을 오르면, 오래전부터 신도들이 쌓아 올렸을 돌탑과 이미 죽어 신선으로 남은 고사목 소나무 한 그루. 암벽의 그 바로 아래는 마치 독수리의 집과 같은 '정취암'이 있으며, 쭉 뻗어 길게 멀어지는 시선은 산 아래 이름 모를 마을로까지 이어진다.

이윽고, 오래전부터 이곳을 일러 '소금강(小金剛)'이라 칭했던 이유를 알 수 있다.

따사로운 햇살 아래 바람 소리와 '정취암'의 풍경 소리를 들으며 넋을 놓고 저 멀리 아래를 내려다보며 앉아 있자니 세상살이의 온갖 시름이 녹아내리는 듯하다.

높은 산의 절경은 치유하는 힘이 있다는 것이 정설이다. 절경의 풍광은 옛 시절과 다름없으되, 고승 대덕도 대담한 선비도 여우도 모두 떠나고 없음이다.

'둔철산(屯鐵山)'은 산 전체에 철이 많이 들어있음이 표현된 지명인 거다. 선인들의 지명에 대한 작명에는 반드시 그 이유가 있다는 것이다.

산에 바위에 철이 많으면 어떤 효과가 있을까. 사람의 혈액에도 철분이 들어있는데, 철의 성분이 대량 함유된 바위산은 인체의 혈액에 전기 에너지를 충전시켜

주는 작용을 한다는 것이 우리 시대의 동양 철학자 '조용헌' 선생의 이론이다.

평소와는 다른 특별한 에너지가 충전되면, 컨디션이 좋아지며 의욕도 충만해지고 영적인 꿈을 꾸게 된다. 모름지기, 사람이란 본인이 꾸는 꿈에서 개꿈도 있지만 설령 본인이 무슨 의미인지 모른다 해도 대부분 어떤 메시지가 있는 것이다.

미래의 앞날을 예시하는 선견지몽(先見之夢)은 철을 비롯한 금속 성분이 많이 함유된 산자락의 집이거나 명당 터에서 꾸는 경우 그 적중률이 높다는 거다. 성경이거나 불경이거나를 막론하고 신비로운 꿈 이야기가 많지만, 불교의 고승 대덕/ 서양 종교의 선지자들이 대단한 꿈을 꾸었던 장소는 단순 평범한 주거지가 아니라 지자기가 강하게 흐르는 금속 성분이 다량 함유된 암반이었을 것이라고 추측된다.

삼성의 휴대폰 이거나 애플의 휴대폰 이거나 통화의 기능에는 대단한 차이가 없다. 신앙 또는 영적인 세계에서는 브랜드가 그렇게 중요한 것은 아닐 것이다. 철의 성분으로 이루어진 '둔철산'의 '정취암'에서 하룻밤 묵을 기회가 되면, 속 시끄러운 오늘의 현실에서 인류가 진정한 평화를 이룰 날은 언제쯤 올 것인지 제발 꿈에서라도 만나보고만 싶다(02/04/2021).

초춘(初春)

아직은 추위가 가시지 않은 2월의 산사 '금둔사'. 고 즈넉함만이 감도는 고요한 산사는 먼 길을 달려 온 나그네에게 모처럼의 힐링을 안겨준다.

'금둔사'의 '납월매'는 부처님께서 납월(12월)에 견성 (見性; 깨달음을 얻은 경지)하신 달 피는 꽃이라는 이 름으로 섣달 추위 속에 피는 절개의 상징이다.

탐매꾼에게는 이른 봄이 되면 입에 자주 오르내리는 곳 다섯 명소가 있는데, 서울의 '비원'/ 구례의 '화엄 사'/ 장성의 '백양사'/ 승주읍의 '선암사'/ 낙안읍의 '금 둔사'가 그곳이다.

이곳들은 모두 조선 시대에 한다 하는 선비님들이 구 중궁궐의 권자들과 시를 읊고 글을 쓰며 풍류를 즐기 던 명소들이었다.

탐매자는 '납월매'가 쇠할 때라야만 '선암사'의 '선암매' 가 성하기 시작하며 그리 멀지 않은 '백양사'의 '고불 매'와 '화엄사'의 '흑매'/ '비원'의 '겹홍매' 또한 동시에 개화하지 않으므로 부득불 여러 차례의 발걸음을 해야만 탐매를 할 수 있으니 있는 것이라고는 시간밖에 없는 필자와 같은 떨거지들만이 즐길 수 있는 호사인 거다.

'금둔사'는 규모가 작은 소박한 사찰이다. 멀지 않은 인근 조계산 자락에 으시딱딱한 '선암사'와 '송광사'가 버티고 있어 이렇게 저렇게 밀리고 있지만, 꾼들은 안다. 그 꾼은 탐매꾼과 찍사(카메라맨)를 이름이다.

고매화를 즐기는 이들에게 '금둔사'는 보물과 같은 사찰이니 '납월매'는, 제주도를 제외하면 이 땅에서 가장 먼저 피는 매화로 대단히 아름다운 홍매이며 그 향이 진하다.

정유재란(1597) 때 가람이 전소되어 오랜 세월 '금둔사지'로 남겨진 폐사지였으나 70년대 후반 태고종의 종정이시자 조실이신 '지허'스님께서 길을 닦고 돌을 쌓아 절을 다시 세웠다.

산 아랫마을 낙안읍성에서 얻어 오신 600년 묵은 노거수의 한 움큼 씨앗 중에서 6개가 살아남아 꽃을 피운다.

'금둔사'는 홍매로 유명하지만, 백매(白梅)와 청매(靑梅)가 많다. 한겨울에 핀 홍매가 지기 시작할 무렵이면 백매/ 청매가 꽃망울을 터뜨린다.

'금둔사' 매화는 우리나라 토종이며 토종 매화는 꽃잎

이 더 날렵하고 얇다.

섬진강가에 양계장의 닭처럼 우르르 모여 흐드러지게 피는 매화나무는 그 종자의 대부분이 일본산이다. 일본의 매화는 향도 없으나 그 열매만이 실하고, 우리 매화는 향이 좋은 대신 열매가 부실함이 결점이다.
우리 매화는 열매를 구하기 위함이 아니라 본디 그 향과 취흥의 품격을 즐기기 위한 꽃이다. 그래서 일본의 것은 대추나무나 감나무처럼 단순히 '매실나무에 피는 꽃'을 말하며, 우리의 고매화는 그것과는 격을 달리한다.

매화향은 햇살이 사찰의 경내를 건드리기 시작하는 이른 아침 시간에 가장 짙으며 꽃도 우아하고 품격도 높다. 그래서 탐매꾼은 아침 일찍 사찰에 도착하는 것을 으뜸으로 친다. 어젯밤에 마신 술 때문에 어영부영 어정거리다가는 신선이나 맡을 수 있는 그 향내를 놓칠 수 있기 때문이다.
봄이 금방이라도 올 것만 같은 날이 연속되다가도 불현듯 한겨울처럼 추위가 엄습하는 것이 2월의 날씨이므로 입춘이 지났다 하여 자칫 방심하다가는 건강을 해치기 쉽다. 게다가, 지루하게 이어지는 코로나의 공격으로 잠시의 방심도 금물이다.

직장인으로의 일상이 끝나 퇴직을 하고 벌써 두어 달이 지났으며, 그 사이 지방의 소도시로 이사를 하여 바쁜 시간을 보냈다.

알람에 맞추어 일어나서 하루의 일과를 스케쥴에 따라 지내고 시간표에 따라 식사를 하던 일상에서 벗어나, 느긋하게 일어나 아침을 먹고 따뜻하게 햇살 눈이 부신 베란다의 창밖을 내다보며 쇼파에 기대앉아 FM을 들으며 마시는 따뜻한 커피 한 잔은 그동안 큰 집 작은 집의 머슴으로 집사로 지냈던 알량한 영욕의 파란 많은 소시민으로의 직장인 그 고단한 노고를 달래주는 기분이다.

홍약국 앞에서 만나기로 했었다.
벗, 담박한 연분홍 꽃
은파의 달에 걸릴 때
추웠던 그 시절
우리가 부르던 노래 떠오르고
오래전 시위를 떠난
그 화살을 만나러 가는 길이다.

----- 초춘(初春/02/21/2021)

추억 속의 짱깨집

국민학교를 다니던 시절, 인사동 우리 집 근처인 종로2가 보신각 맞은편에 화신백화점이 있었다. 그 화신백화점에 붙은 좁다란 골목 담벼락을 끼고 50여 미터쯤 들어가면, 2층으로 된 계단이 재미있는 중국집이 있었다.

아버지께서는 '물만두'를 좋아하셔서 우리 둘은 그 집엘 가끔 들려 '물만두'를 먹었다.

홀에 들어서면 아버지를 알아본 주인이 안쪽의 조용한 방으로 우리를 안내했으며 연신 허리를 굽혀 각별한 예의를 표했던 것으로 미루어 아버지는 그 집의 괜찮은 손님이셨던 것으로 짐작되었다.

그 중국집의 입구는 넓고도 근사하며 건드리면 신비로운 소리를 내는 대나무와 유리로 특별하게 만들어진 커튼 같은 발을 옆으로 밀치고 들어서게 되어있으며, 주문을 받으면 주방에 대고 " 으어~ , 홀에 '짜장면' 두 개 하고 '우동' 하나 이쓰으어~~ "하며 목을 길게 늘여 빼고 주문을 소리치는 왕서방의 구성진 목소리와 주방 쪽에서 탕탕거리며 면을 뽑는 활기찬 소리와 요리하는 맛있는 냄새로 인하여 나의 목젖 속으로 침이 꼴까닥 넘어가도록 식욕을 자극했다.

대나무 젓가락의 부스러기를 털어낸 후 탁자 위에 가지런하게 올려놓고, 입가에 흐르는 침을 닦으며 두 손을 배꼽 앞에 마주 잡고 모두며 애써 짐짓 차분하게 기다리는 그 시간은 내 유소년기 삶의 보람이자 바로 의미였던 거다.

집에서 가끔 해 먹던 아버지의 고향 충청도식 '김치 왕만두'와 달리 중국집 '물만두'는 사이즈가 작아서 내가 먹기에 안성맞춤이었으며 더구나 물에 적셔서 나오기 때문에 촉촉하여 목이 막히지 않았고 간장과 식초를 섞은 특유의 소스에 찍어 먹으면 그 맛이 달콤새콤하고 쫄깃한 것이 아주 별미였다.

'물만두'로 적당히 배를 채운 다음 잠시 기다리면 '탕수육'이 나온다. 유난히 바삭거리고 쫄깃하며 소스를 적시면 새콤하고도 달짝지근한 그 맛은 지금도 '탕수육'을 가끔 먹는 이유 중 하나이다.

중학교 3학년 여름방학 때였다.

종로에서 한강까지 버스를 타고 수영을 하러 가서 돌아오는 길은 이미 주머니에 돈이 없었다. 그 시절 주머니에 돈이 없는 것은 대부분 당연한 형편이었다.

나를 포함한 친구 5명은 배가 출출한 채로 묵묵히 집 방향으로 걸어가고 있었는데, 길가 어느 중국집에서 풍겨오는 '짜장면' 냄새가 아주 그야말로 죽여주는 것이었다.

친구들은 모두 갑자기 불쌍한 표정을 지으면서 동시에 내 얼굴을 쳐다봤다. 옷 소매이든지 바지 아랫단이던지 대체로 비상금이 없었던 적이 없는 나에게 기대하고 있음이 틀림없는 애절한 표정들이었다.

잠시 망설이다가 나는 모종의 결심을 하고 친구들과 함께 중국집엘 들어섰다. 안으로 깊이 들어가려는 친구들을 붙잡고 문에서 가까운 세 번째 테이블에 자리를 잡았다. 물론, 문에서 가장 가까운 의자에는 내가 먼저 앉았다.

나는 큰소리로 당당하게 '짜장면' 곱빼기 5그릇을 시켰다. 잠시 후, 김이 무럭무럭 나는 '짜장면'이 나오자 우리는 누가 뺏어 먹기라도 하는 것처럼 우악스럽게 입으로 몰아넣기에 바빴다.

'마파람에 게 눈 감추듯' 이란 이런 경우가 맞다. 그중에 가장 빠르고 우아하게 나는 식사를 마쳤다.

나만큼 먹는 속도가 빠른 윤상이가 아쉬운 듯 쩝쩝거리며 마지막 젓가락질을 끝내자, 나는 낮고 조용하며 단호하게 소리쳤다.

"튀어~ !!" 외침과 동시에 나와 윤상이는 의자를 박차고 현관 입구를 뛰쳐나왔으며 뒤를 따라 영철이와 명수가 입안의 면발을 으적거리고 씹으며 달려 나왔다.

문을 벗어나자 우리는 종로 방향으로 질주하였는데, 얼마를 뛰면서 뒤를 돌아보니 곰이 안 보이는 거였다. 헉헉거리며 커브길 모퉁이에 서서 머리를 내밀고 지켜보니 정말 곰이 보이지 않았다.

홀에서 운동화 두 짝을 머리 위에 쳐들고 무릎 꿇고 두 시간 동안 벌을 선 후 학생증을 빼앗긴 곰은 삼 일간 그 집에서 짱깨 배달을 하며 장렬하게 '짜장면' 값을 몸으로 때우고 보무도 당당히 우리의 곁으로 돌아왔는데, 곰은 끝까지 우리 동지들의 이름을 불지 않았던 거다.

이러구러 사연도 많았지만, 고교 2학년이 되었다. 그 날도 하학 후 우리는 배는 고픈데 주머니에 돈은 없었다. 대체로 나를 믿고 있었던 녀석들은 내 눈치를 보다가 나의 썩은 미소를 신호로 입맛을 다시며 웃으면서 나와 함께 중국집 2층 방으로 안내되었다.

나는 '짜장면' 곱빼기 5개와 '탕수육'을 호기롭게 시켰다. 우리는 웃고 떠들며 음식을 먹었고 일자로 길게 늘어선 방들의 앞에는 나이는 우리보다 조금 많은데 약간 어벙하게 생긴 녀석이 통로를 오락가락하며 당번을 서고 있었다.

음식을 대부분 먹어가자(어느 시간쯤 되어야 손님들이 음식을 다 먹는 지는 밖에 있는 종업원들이 귀신같이 안다), 나는 주전자의 물을 음식이 빈 그릇에 모두 버리고 밖에 있는 녀석에게 소리쳐 뜨거운 보리차를 부탁하며 주전자를 건네고는 방문을 소리 나게 닫았다.

2층 당번 녀석이 계단을 내려가는 소리를 들은 나는 조용히 미닫이문을 다시 열고 책가방 속과 품 안에 방문 앞의 신발을 모두 거두어 방안으로 들어서며 " 야, 창문 열어~!! ."하고 은밀하고도 준엄하게 말했다.

뒤늦게 상황을 판단한 녀석들은 이내 아쉬운 마지막 '탕수육' 건더기를 우적거리고 씹으며 교모를 눌러쓰면서 "아, 쓰바.. 내 으째 이럴 것 같더라니까~~ " 라는 둥 "언능 뛰어, 시꺄~ "등을 징징거리며 2층 창문을 통하여 뛰어내렸으며 곰이 다리를 약간 삐끗했을 뿐 우리는 무사히 탈출에 성공했음은 물론이다.

그날 이후, 우리나라 전국의 모든 중국집 2층 창문에는 쇠창살이 설치되었다는 후문이 들려왔던 거다.

도시를 고향으로 둔 나의 유년기와 청소년기의 추억으로 기억됐던 중국집의 푸근한 고향의 냄새로 기억되는 즐거운 설레임은 이제 그 막을 내렸다.

중국집의 단골 메뉴중 하나였던 '우동'이라는 메뉴는 유명무실하여 졌으며 '짜장면'은 가장 가볍게 식사를 해결하는 단순한 음식에 불과하게 되었다.

청춘 시절에 조그만 하얀 도자기로 된 '배갈' 잔을 홀짝거리며 중국집 테이블을 손바닥으로 내려치며 철학과 문학과 유신을 난도질했던 우리는 이제 반백의 노친네가 되어 '백세 장수'를 우려하고 있음이다.

양식은 비싸서 꿈에 떡 얻어먹기였으며 일식집은 아주 드물었고, 가장 친근하고 만만했던 짱깨집의 정겨움은 이제 흑백사진과 함께 추억 속으로 사라졌다. 그렇지만, 습관은 무서운 것이다. 지금도 나는 가끔 지방으로 난 국도를 지나가다가도 중국집 간판이 나타나면 유심히 바라보며 음식 맛을 가늠해 보면서 입맛을 쩝쩝거리고 있는 나 자신을 발견한다.

근자에 가장 맛있었던 중국집은, 용인 '이동면사무소' 주변에 있는 '씽차이'이다. 홀의 벽면에 '워커힐'인가 어딘가에서 총주방장을 했다는 조그만 안내판을 본 기억이 있는데, "구래서?"하며 주문을 했지만 먹어보곤 "오잉?~"하며 즐거워했다.

'짬뽕'도 기통차다. 주차장에는 외제 차도 흔하게 보인다. 다만, 아쉬움이 있다면 2층이 없다.

이번 주말엔 그 집엘 가서 '짜장면'과 '짬뽕'을 맛보고, 인근의 '송전호'에서 호수를 내려다보며 뜨거운 '원두커피' 한 잔을 맛있게 마시고 와야겠다.

물론, 커피집은 2층이 있는 집으로 간다~!!

추일서정(秋日抒情)

 어느 날 당신과 내가
날과 씨로 만나서
하나의 꿈을 엮을 수만 있다면
우리들의 꿈이 만나
한 폭의 비단이 된다면
나는 기다리리, 추운 길목에서
오랜 침묵과 외로움 끝에
한 슬픔이 다른 슬픔에게 손을 주고
한 그리움이 다른 그리움의
그윽한 눈을 들여다볼 때
어느 겨울인들
우리들의 사랑을 춥게 하리
외롭고 긴 기다림 끝에
어느 날 당신과 내가 만나
하나의 꿈을 엮을 수만 있다면

    --- 정희성/ 한 그리움이 다른 그리움에게

마침내 그 열정적(?)이었던 여름이 가고 가을이 오고 있습니다. "붉게 화장하는 흙길 따라/ 달콤한 밀어(密語) 속삭이며/ 생각만 해도 가슴 뛰는 그녀와/ 들녘 끝까지 사뿐사뿐 걷고 싶다."라는 시인 김기현의 추애(秋愛)가 아니어도 괜찮습니다.

이 가을에는, 가슴 한쪽이 시리고 마음이 아플 정도로 사랑하는 사람이 있다면 아니 설령 시리고 아플 그 지경까지는 아닐지라도 더 늦기 전에 초콜릿이나 사탕보다 그에게 느끼는 진실한 감정을 단 한 두 줄의 시(詩)라도 만들어 표현해보면 어떨까요?

눈에는 보이지도 않는 그 사랑은 힘이 있습니다. 괴물 덩어리 사람의 마음도 돌려놓지 않던가요. 행여 그녀가 아니 그 남자가 내 마음을 받아주지 않더라도 상관없습니다.

사랑의 크기가 크든 작든 상관없이 사랑할 수 있다는 것 그 자체만으로도 이 가을의 축복 아닐는지요.

순수하고 아름다운 것만이 사랑의 모든 것은 아니라고 봅니다. 그와는 전혀 다른 각도에서 진행되는 지극한 사랑도 얼마든지 있다는 생각입니다.

한 시절 리비아는 국민소득이 일 인당 1만 달러였으며, 인구는 삼백만 밖에 되지 않았습니다. 당시 그 나라 정부의 절대 과제 중 하나는 인구를 늘리는 일이었습니다. 그래서 정부에서는 다산(多産)을 권장하는 한편, 사막의 오지에 있는 사람들을 도시로 끌어내기 위하여 석유로 벌어들인 돈다발로 사람들을 유혹합니다.

품질 좋은 양탄자와 성능 좋은 에어컨 시스템/ 안락한 침대 그리고 꼭지만 틀면 수돗물이 콸콸 쏟아져 나오는 집에서 편안하게 살게 해줄 테니 제발 도시로 나오라고 간청합니다. 그러나 사막에서 오랫동안 살아온 유목민의 상당수는 그 유혹을 뿌리치고 정부의 손길이 닿지 않는 더 깊은 사막으로 들어갑니다.

대부분 사람은 갈증으로 시달리는 것을 몹시 두려워합니다. 인종과 지역을 막론하고 대부분 사람은 그러할 것입니다. 그런데도 오직 그들만은 이글거리며 모든 것을 태워버릴 듯한 태양과 모래폭풍과 갈증뿐인 사막 속으로 더 깊이 파고들어 숨어 지냅니다.

모든 사람이 안락함과 쾌락으로 가득한 세상에서 즐기며 살고 있을 때, 바위를 부숴낸 돌멩이조차도 타고 부서져서 모래로 변한 죽음의 땅인 그 사막 속으로 말입니다.

해가 뜨면 땅과 하늘 사이는 분홍색 열 안개의 열탕과도 같은 도가니가 됩니다. 그러나, 일단 해가 지고 나면 추위는 살인적입니다.

사막 속의 인간이 열사와 동사로부터 자기를 보호할 수 있는 것은 그의 살갗 피부뿐입니다. 이러한 엄청난 사막에서 그들은 무엇 때문에 갈증뿐인 이 고난의 길을 스스로 선택하여 가는 것일까요.

그 선택의 해답은 사막 속에 있습니다. 리비아에는 오래전 조상 때부터 전해져 내려오는 전설 같은 지도가 있습니다. 그 지도에는, 사막의 땅속 깊은 곳으로 흐르는 푸른 물길이 그려져 있으며 그들은 이 길을 신(神)의 길이라고 부릅니다. 사막의 오지(奧地)에서 나오지 않는 사람들만이 이 푸른 물길이 어디에 있는지 안다고 한다는 것입니다.

"한수는 그녀가 살코기를 집어 줄 때마다 입을 딱 벌려 받아먹기만 할 뿐, 자기도 그녀의 입에 그 고기를 먹여주려는 생각은 한 번도 해보지 않았다.

한수의 마음은 무디고 이기적이어서 온 방 안에 가득 찬 금빛을 보지 못했고, 가만히 있어도 그 침묵이 노래임을 알지 못했다. 심지어는 그녀의 몸을 만지면서도 잘 익은 과육에서 나는 것과 같은 향기가 자기 손가락에 묻어나는 것도 몰랐다."

'문자'라고, 노처녀로 알려졌으나 사실은 '한수'라는 유부남을 지극히 사랑해서 딸까지 낳은 미혼모의 이야기를 그 자신 또한 소설가 '김동리'의 제자였다가 재혼하는 그의 나이 어린 아내가 되어 소설 속의 '문자'처럼 힘겹게 결혼생활을 살았던 작가 '서영은'의 작품 1983년도 제7회 이상문학상 대상 수상작 소설 《먼 그대》 속에 나오는 이야기였습니다.

영화 《리스본행 야간열차》는 스위스 사람 '파스칼 메르시어'가 쓴 소설이 원작입니다. '제러미 아이언스'가 출연한 대단히 쫄깃한 영화이지만, 인생의 심연(深淵)을 들여다본다는 점에서 영화는 소설에 뒤지지 않습니다.

영화의 초반부에 주인공 '그레고리우스' 교수는 엉겁결에 리스본행 야간열차에 뛰어오릅니다. 열차, 내가 원해서 탄 것은 아니었습니다.

선택의 여지는 없었으며 달리고 있으면서도 나는 아직 목적지조차 모릅니다. 이 여행이 끝나지 않기를 간절히 바랄 때도 있었습니다.

아주 드물게, 추억할만한 아름다운 날들도 있었습니다. 어떤 날에는 마침내 기차가 멈추게 될 마지막 터널이 있다는 사실에 안도감을 느끼기도 합니다.

그 여행길에 만난 가을이라는 계절과 함께 사랑이 있다는 것은 참으로 감격할만한 축복입니다. 이 짧은 여행길에서 만난 우리 모두의 사랑을 축하드립니다~!!

한 잔의 추억

 기도 시간에 목사님께서 교회 안에 가득 앉은 교인들을 향하여 "예수께오서 누구 때문에 돌아가신 것입니까?"하고 신도들에게 큰소리로 물었다.

마누라는 죽어가는 목소리로 "저.. 때문에 돌아가셨습니다."라고 대답을 하였던 거다. 예배가 끝나고 회당을 나오다가 목사님과 술주정뱅이가 마주쳐 대화를 나누게 되었다.

목사님은 주정뱅이에게 "예수님께서는 누구 때문에 돌아가셨나요?"하고 다그쳐 물었다. 그러자, 주정뱅이는 기다렸다는 듯이 당당하게 대답했다. "네, 제 마누라 때문에 돌아가셨습니다."

남자가 광화문 지하도를 지나가는데, 노숙자 한 명이 말을 걸었던 거다. "아자씨, 밥 사 먹게 만원만 주세요."

남자는 불쌍하다는 생각에 지갑을 만지며 노숙자에게 물었다. "내가 돈을 주면 이 돈으로 술을 마시는 거 아닙니까?"

노숙자가 대답했다. "아닙니다. 술 끊은 지 10년도 넘었는걸요."

"그럼, 이 돈으로 다른 데 가서 혹시 도박을 할 건 아니죠?"

노숙자가 대답했다. "에헤이 참~, 도박이라니요. 밥도 못 먹는데 무신 도박이랍니까."

다시 남자가 물었다. "그렇죠. 돈을 더 준다고 해도 술 여러 병을 사서 여기 동료들과 술판을 열 일은 더더구나 없겠죠?"

노숙자가 말했다. "아~ 그럼요, '룸싸롱' 가서 사람들과 술 마셔 본지도 벌써 몇 년 지났거든요."

남자가 활짝 웃으면서 노숙자에게 말했다. "형씨, 그럼 일어나시오. 우리 집에 가서 울 마누라가 차려주는 근사한 저녁 식사를 함께 합시다."

노숙자는 깜짝 놀라며, "아니.. 글타문, 선생의 어부인께오서 '이 인가이 미쳤나?' 하지는 않을까요?"

남자는 자신만만한 어조로 설명을 했다. "하하하.. 그런 걱정은 하지 말아요. 나는 마누라에게 남자가 술과 도박을 끊으면 어떤 꼴이 되는지를 똑똑히 정확하게 보여주고 싶은 마음이랍니다."

내가 처음으로 술을 마신 기억은, '국민학교' 3학년으로 거슬러 올라가야만 한다. 당시 우리 집은 종로 인사동에 아담한 테라스가 있는 오래된 한일 복합 양식의 이층집으로 우리 가족 이외에 여러 명의 식구가 함께 살고 있었으며, 대개는 아버지의 친구 후배 선배 등의 사람들로 집은 지방인데 서울에 일이 있거나 때론 무슨 일을 하는 사람인지 종잡을 수 없는 사람들이 자주 들락거렸으며 흔하게 자고 먹고 가곤 하였다. 아버지의 본향인 충북 지방 지인들의 부탁으로 시골에서 상경하여 아버지가 취직시켜 직장생활을 하며 우리 집에서 생활하고 있는 누나 2명도 함께 있었다. 저녁을 먹고 나면, 누나들은 나를 자기들 방으로 불러 같이 놀고 내 공부도 돌봐주곤 하다가 밤이 깊으면 내 방으로 가려는 나를 누나들 방에서 같이 자자고 나를 꼬드겼으며 나 또한 혼자 자는 것보다는 누나들이 이야기하는 것을 들으며 자는 것이 덜 심심하니까 못 이기는 체 누나들과 같이 자곤 했다.

그런데, 한 누나는 나를 부드럽게 안고 포근하게 재워줬던 반면 다른 누나는 나를 자기 사타구니에 꼬옥 끼운 채 너무 끌어안고 자는 바람에 내가 좀 신경이 쓰이고 답답했던 기억이 있으나 가족과 떨어져 외롭게 사는 누나들의 안타까움을 생각하여 내가 참고 자야 한다고 스스로 타이르곤 하였던 거다.

그해 겨울 크리스마스가 돌아왔다. 누나들과 나는 파

티를 한답시고 같이 노래하고 손뼉을 치며 과자를 먹고 놀았는데, 나는 누나들 앞에서 내가 알고 있는 '루돌프 사슴코'에서부터 '예수 오셨네'서껀 '징글벨'까정 누나들과 교대로 아는 노래는 모두 불렀다.

즐거움 속에서 시간이 흐르고 놀이에 흥이 오르자 한 누나가 슬그머니 병을 꺼내왔는데, 직감적으로 나는 그것이 술임을 눈치챘다.

내가 짐짓 모르는 체를 했더니, 누나들은 자기들끼리 그것을 주거니 받거니 하며 마셨다. 술이 서너 순배 돌자 누나들은 그것이 미국의 '과일 쥬스'라고 하면서 나도 한번 마셔보라고 권했다.

나는 여태껏 참았으므로 당장 응하기가 쑥스러워 살풋 쪼를 빼고 두어 번 사양했지만, 속으로는 마셔보라고 한 번만 더 권하면 즉각 마시겠노라고 맘먹었다.

마침내, 그 새를 참지 못하고 누나가 맛있다며 마셔보라고 다시 권했다. 나는 짐짓 못 이기는 체 잔을 받고 노랗게 맑은 빛을 내는 그 단물을 홀짝 마셨다.

샴페인은 의외로 달고 맛이 끝~ 내줬다. 그날 밤 우리 일당은, 샴페인 서너 병을 아작내고 취흥이 도도하여 방문에 두꺼운 담요 두어 장을 더 둘러치고 여러 곡을 합창하다가 마침내 모두 함께 끌어안고 잠이 들었다.

예수님께오서 축복을 내려주시러 온 다음 날 아침, 예

수님의 의도와는 다르게 나는 아버지에게 직사하게 혼이 났으며 평소에 나와 절친했던 우리 집에 기숙하는 아저씨들의 만류와 두 누나의 간곡한 사죄로 인하여 그 추운 겨울 아침마다 한 달간 화장실 청소를 죄값으로 치루라는 엄명이 떨어졌다. 내 인생에 있어서 음주 가무 추태는 예수님의 생일날 그렇게 요란하게 출발했던 거다.

신화(神話) 속에서 '그리스'의 주신(酒神)은 '디오니소스'이며 '로마'의 신은 '바커스'다. 이들은 포도주의 신이며 '이집트'의 '오시리스'는 맥주를 빚은 신으로 '피라미드' 속에 그 기록이 전해진다.

'로마'의 속담에도 "첫 잔은 갈증을 풀기 위해, 둘째 잔은 영양을 위해, 셋째 잔은 유쾌하기 위해, 넷째 잔은 광란을 위해 마신다"라고.

'독일' 속담엔 "물고기는 세 번 헤엄을 친다. 물속에서 기름 속에서 그리고 술 속에서."라고. '물속에서'란 살았을 때를 말하며, '기름 속에서'는 안주로 튀겨지는 상태를 말하고, '술 속에서'란 맥주와 함께 뱃속에서의 상태를 뜻한다는 거란다.

'프랑스' 버전은 "물고기는 세 번 헤엄친다, 물속에서 소스에서 배 속에서 포도주와 함께."

아주 오래전, 술에 만취한 두 사내가 버스를 탔는데, 내리는 문 옆에 하얀 세일러 복장의 해군이 한 명 서 있었다.

술 취한 한 사내가 해군을 버스의 차장으로 착각하고 차비를 주려고 했다.

"어이 차장(딸~꾹), 두 사람 차비가 얼마지?(딸~꾹)."

그러자 군바리는 발끈하며, "아저씨, 저는 차장이 아니라 해군 병사입니다."라고 부동자세를 취하며 목소리를 올렸다.

사내는 깜짝 놀라며 "뭐, 해군? 이봐 친구, 이거 큰일 났네. 우린 지금 버스를 탄 게 아니라, 군함을 탄 채 어디론가 끌려가고 있는 게 분명하네."

술, 그 불꽃 같은 향락의 매체가 분명코 '금단의 액체'는 아니다. 작고한 문학비평가 '김현'은, "술은 말하는 사람의 혀를 불태운다. 술 마시며 하는 이야기는 불의 이야기이기 때문에, 그 이야기 중에서도 사랑의 이야기가 가장 아름답다.

사랑이야말로 불 중의 불이기 때문."이라 하였으며 '김현' 선생 또한 "술자리의 분위기를 지워버린 나의 삶을 생각하면 끔찍하다."라며 썼거니와, 나 역시도 술 없는 나머지 인생을 상상하기는 끔찍하다.

아마존의 정글로 탐사를 떠나게 된 어떤 탐험가가 의사에게 물었다.

"만약, 이름도 모르는 독사에게 물리게 되면 어떻게 해야 하나요?"

"위스키병을 꺼내야 합니다."

"상처에 바를까요?"

"아뇨, 단숨에 들이켜야 합니다."

"그러면, 독이 가시게 될까요?"

"아니죠, 좀 더 즐거운 기분으로 죽게 되는 겁니다."

1974년 '이장호' 감독의 영화 〈별들의 고향〉에서 처음 선보인 가수 '이장희'의 노래 중에 우리 세대들이 술자리에서 즐겨 부르는 잊을 수 없는 그 노래 '한 잔의 추억'.

노래의 가사 중 "취한 눈 크게 뜨고 바라보면은/ 반쯤 찬 술잔 위에 어리는 얼굴/ 흔들리는 불빛 위에 어리는 모습/ 그리운 그 얼굴을 술잔에 담네./ 마시자, 한 잔의 추억~/ 마시자, 한 잔의 술~."이라는 대목은, 가슴속에 응어리진 울분과 슬픔을 술과 함께 토해낼 수밖에 없었던 군사 독재 정권 그 시절 우리들의 절규 그리고 고독한 메타포였다(12/16/1997).

흰 소를 찾아서

 시간이 흐르면서 차차로 어둠이 먹물처럼 내리고 간 간이 낙엽을 쓸던 바람 소리와 함께 드물게 후드득거 리며 내리던 비는 시간이 흐르면서 거친 바람과 함께 폭우로 내리기를 반복하더니 더러는 우박으로 쏟아붓 기도 하면서 세차게 창을 두드리는 한밤 열두 시를 넘긴 지금, 겨울을 재촉하는 비는 비단결 스치는 소리 처럼 때로는 마른 가지에 그나마 남아있는 낙엽을 훑 어내릴 듯 사납게 내리치고 있다.
그렇게 내리는 빗속으로 초대하지 않은 지난 시절의 추억들이 머뭇거리며 찾아든다.

아버지께서 작고하신 중학 2년의 겨울, 부러진 상처와 도 같은 슬픔을 참기 위하여 닥치는 대로 책을 읽기 시작했던 어느 날부터인가 하나의 질문이 생겼다.
"나는 누구인가?" 그러나, 이 질문은 연속적으로 이어 진 진학과 학업, 사회의 진출과 적응, 해외로 떠도는 내게 주어진 매력적인 외국 문물과 문화와 금전이 주 는 쾌락 그리고 직무의 승진/ 결혼/ 사회적 위치의 추구 등의 세속적 욕망의 가치를 만족시키기 위한 질주 속에서 그 질문은 까마득히 잊혀 갔다.

욕망의 트랙라인 위에서 폭주 기관차로 질주하던 서른 중반의 어느 오후, 퇴근길에 자동차 엔진의 워밍(Worming)을 위한 짧은 기다림의 순간 눈앞 차창에 펼쳐진 석양 노을을 바라보다 나는 문득 가슴속 깊은 곳에 침잠(沈潛)되어 있던 그 화두(話頭)는 제어(制御)할 수 없는 부력(浮力)으로 떠올라왔다.
"나는 누구이며, 어디에서 와서 어디로 가는 것일까?"

오래전 어느 수행자(修行者)가 물었다.
"그대 젊은이여, 잃어버린 물건을 찾는 것과 잃어버린 자기 자신을 찾는 것 중에 어느 것이 더 소중한가?"
아픔을 참기 위하여 닥치는 대로 책을 읽는 시절은 다시 시작되었으며, 종잡을 수 없는 해답(解答)을 찾기 위한 몸부림은 여러 가지의 예술적 탐닉 그리고 술로부터 시작하는 쾌락적 유혹으로 빠져들었고 수년의 시간이 거칠게 흘러 그 일련의 종착점(終着點)처럼 나는 산(山)에 빠져들었다.
그렇게 우리나라의 명산대찰을 두루 떠돌던 나는 어느 겨울 마침내 미루고 미뤄두었던 지리산을 찾아 출발하였던 거다.

'지리산(智異山)'

그 겨울의 늦은 오후, 화엄사(華嚴寺) 사하촌(寺下村) 어느 민박집에 여장을 내린 나는 활짝 열어놓은 한지(韓紙)로 바른 낡은 방문(房門) 밖으로 부는 스산한 바람과 뒹구는 낙엽을 바라보며 휴대용 가스버너로 끓인 라면을 안주 삼아 30도 소주 한 병을 나발 불고 방문을 소리 나도록 닫은 채 깊은 잠에 빠져들었다.

얼마를 잤을까, 소주가 깨면서 소변을 보고 방으로 돌아오는 움츠린 어깨너머로 눈발이 성기게 내리기 시작했다.

콩을 볶는 듯한 기총사격을 등 뒤로 받으며 남로당 파르티잔들을 따돌리고 계곡을 뛰어 내달리던 황급한 달음박질이 천 길 절벽 낭떠러지로 굴러떨어지면서 "아버지~"하고 외마디 비명을 지른 나는 내 비명에 놀라 잠을 깨었으며, 놀라 가쁜 숨을 몰아쉬고 방문을 벌컥 열자 여명의 마당엔 하얀 눈이 마루 위까지 수북하도록 쌓여 있었다.

다시 라면 한 봉지를 끓여 빈속에 채우고 화엄사 옆의 산길 계곡을 통하여 노고단(老姑壇) 정상으로 눈발을 헤치며 올라갔다.

244

노고단 정상까지 초행길의 거친 산행(山行)을 마치고 되돌아 내려와 화엄사 일주문(一柱門)을 들어서서 고단한 다리를 쉬려 대웅전(大雄殿) 앞 적묵당(寂黙堂)의 툇마루에 주저앉은 나그네는 엄청난 폭설이 와서 관광객이 거의 없는 한가로운 탑 마당과 폭설임에도 불구하고 바람 한 점 없이 따사롭게 내리는 포근한 햇살을 유유히 음미하고 있었다.

무심코 사찰 기둥에 적혀 있는 불가(佛家)의 글귀를 읽어 내려가던 중 그 몇 글자가 가슴 깊은 곳을 꿰뚫어 찌르고 지나가는 그 순간, 대웅전 아래 탑 마당에서 워낭 소리 무겁게 철렁거리며 천천히 지나가는 커다란 흰 소를 눈으로 가슴으로 직접 보았던 거다.

소치는 '다니야'가 말했다. "나는 이미 밥을 지었고 우유도 짜 놓았습니다. 마히 강변에서 처자와 함께 살고 있습니다. 내 움막 지붕에는 이엉을 덮어 놓았고 집 안에는 불을 지펴 놓았습니다. 그러니 신이여, 비를 뿌리려거든 비를 뿌리소서."

스승은 대답하셨다. "나는 성내지 않고 마음의 끈질긴 미혹도 벗어버렸다. 마히 강변에서 하룻밤을 쉬리라. 내 움막에는 아무것도 걸쳐 놓지 않았고, 탐욕의 불은 남김없이 꺼 버렸다. 그러니 신이여, 비를 뿌리려거든 비를 뿌리소서."

----- 불교 최초의 경전〈수타니파타〉중에서

성경(聖經)을 통하여 울림을 받지 못했던 나는 오랜 천주교도(天主敎徒)였으며, 그러함에도 불구하고 내 영혼(靈魂)의 문(門)을 강하게 두드렸던 불교(佛敎)의 경전(經典)들을 손에서 놓을 수는 없었다. 지금까지 알지 못했던 경이(驚異)로운 신세계(新世界)가 거기 그렇게 우뚝 기다리고 있었던 거다.

만법은 한 곳으로 돌아가는데 그 하나는 어디로 돌아가는가.
눈썹을 곤추세우고 활활 타는 불덩이같이
살아도 같이 살고 죽어도 같이 죽으며
갈 때도 같이 가고 머물 때도 같이 머물다가
홀연히 의정이 생기거든 겁내지 마라.
큰 싸움에 임한 듯 다른 것 돌아볼 틈 없이
맞는 경계 거슬리는 경계 만나거든 잘 조화시켜라.
돌아갈 곳 모르겠거든 다른 일 해도 좋다마는
철위산을 때려 부수고 나서 보물창고에 걸터앉아
눈 깜박거리고 눈썹 치켜뜨는 것에
모든 기연 다 나타낼 수 있으면
청주의 베옷은 일곱 근이지만

문 앞의 복숭아는 여전히 천 그루라네.

　　----- 조주선사(趙州禪師)의 공안(公案)/
　　　　　　　　　　　만법귀일(萬法歸一)

조주선사(趙州禪師/ 778~897)는 20세 무렵 스승 남
전 선사(南泉禪師)에게 물었다.
"무엇이 도(道)입니까?" "평상(平常)의 마음이 도이다."
"그래도 닦아 나아갈 수 있겠습니까?" "무엇이든 하려
들면 그대로 어긋나버린다."
"하려고 하지 않으면 어떻게 이 도를 알겠습니까?"
"도는 알고 모르는 것에 속하지 않는다.
안다는 것은 헛된 지각(妄覺)이며,
모른다는 것은 아무런 지각도 없는 것(無記)이다.
만약 의심할 것 없는 도를 진정으로 통달(通達)한다면
허공(虛空)같이 툭 트여서 넓은 것이니,
어찌 애써 시비(是非)를 따지겠느냐."
조주(趙州)는 이 말속의 깊은 뜻을 단박에 깨닫고, 마
음이 달처럼 환해져 쓸데없는 번뇌 망상을 쉬었다.

나의 몸은 본래 없는 것이요
마음 또한 머물 바 없도다.
무쇠 소는 달을 물고 달아나고

돌사자는 소리 높여 부르짖도다.

(我身本非有 心赤無所住 鐵牛含月走 石獅大哮吼)

    ----- 조계종(曹溪宗) 10대 종정(宗正)
            혜암선사(慧菴禪師)의 오도송(悟道頌)

나는 아직 돌사자의 울부짖음과 무쇠 소가 하늘을 나는 소식을 깨닫지 못했으며, 노자(老子)와 장자(莊子)를 읽었음에도 아직 장주(莊周)가 나비 꿈을 꾸었던 도리조차도 알지 못한다.

영산(靈山)의 고찰(古刹)을 찾을 때마다 저잣거리의 탁한 홍진(紅塵)을 조금이나마 털어냈는지 주춤거리며 돌이켜 보지만, 털어내기는커녕 수렁 속에 깊게 빠진 두 다리를 이러지도 저러지도 못한 채 늘 상 전전긍긍일 뿐이다.

그러함에도 불구하고 주제넘게도, 나는 미래의 어느 날인가 잃어버린 흰 소의 고삐를 움켜쥐고 그 등에 올라타 버들피리를 불며 집으로 돌아가는 본래진면목(本來眞面目)을 꿈꾼다.

그리하여 훗날, 어느 해 겨울 변방의 바람 부는 바닷가를 외로이 떠돌다 이름 모를 나무 그늘 밑에 고요히 잠든다 해도, 나는 영원토록 자유를 향한 그 꿈을 버리지는 못할 것이다(11/26/1999).